EL CASTIGO SIN VENGANZA

LOPE DE VEGA

EL CASTIGO
SIN VENGANZA

Edición de
Alejandro García Reidy

CRÍTICA
Barcelona

«EL CASTIGO SIN VENGANZA»
O LA TRÁGICA PASIÓN POR LO IMPOSIBLE

Alejandro García Reidy

EL AUTOR

El 1 de agosto de 1631 Lope de Vega termina de escribir en Madrid *El castigo sin venganza*, tal y como rubrica en la portada y el final del manuscrito autógrafo de esta tragedia. En esa fecha el dramaturgo madrileño, nacido en la Corte el 25 de noviembre de 1562, cuenta con casi sesenta y nueve años de edad: *El castigo sin venganza* es, por lo tanto, una obra de vejez. Más concretamente, se inscribe en ese período de la biografía y la carrera literaria de Lope que Juan Manuel Rozas denominó el ciclo *de senectute*, y que la crítica suele situar entre 1627, año en el que el dramaturgo otorga su primer testamento, y su muerte, acaecida el 27 de agosto de 1635. Lejos de la ansiada tranquilidad y descanso que toda persona desea para su ancianidad, son años convulsos en la vida del Fénix de los Ingenios (sobrenombre que recibió por su inagotable fecundidad e imaginación), y muchas de sus preocupaciones hallan eco en diversos lugares de su obra.

En el ámbito de lo estrictamente privado, fueron unos años marcados por las postrimerías de su relación sentimental con Marta de Nevares. Lope la había conocido en 1616 y se había enamorado rápidamente de ella. No importaba que él hubiera tomado los hábitos del sacerdocio apenas un par de años antes, ni que ella estuviera casada con un comerciante llamado Roque Hernández. Unos treinta años menor que el Fénix, su belleza, su sensibilidad hacia la literatura y la música, y su agradable trato cautivaron inmediatamente al dramaturgo madrileño. Marta fue el último gran amor de Lope, quien para esas fechas ya había enterrado a dos espo-

*Probable retrato de Lope de Vega anciano realizado por
Vicente Carducho como parte de su cuadro* Muerte del venerable
Odón de Novara *(1630).*

sas y dejado atrás a diversas amantes. La felicidad que presagió el nacimiento en 1617 de una hija en común, Antonia Clara, y la muerte de Roque Hernández en 1619 no duró demasiado. Hacia 1622 Marta se ve afectada por una enfermedad que la deja prácticamente ciega y dependiente de los cuidados de Lope. Mayor infortunio sacude la casa del dramaturgo hacia 1628, cuando Lope sufre una grave enfermedad y a Marta le sobreviene la locura. Los tratamientos a los que se somete y las amorosas atenciones del Fénix contribuyen a que remita parcialmente su enfermedad mental con el paso del tiempo, pero Marta nunca se recupera completamente y los padecimientos mentales hacen mella en su salud física. Menos de un año después de concluir Lope *El castigo sin venganza*, Marta fallece en su casa el 7 de abril de 1632. La angustia y el dolor por la muerte de Marta apenas pueden ser mitigados por alguna alegría como el matrimonio de su hija Feliciana con Luis de Usátegui en diciembre de 1633: las desgracias se ceban en los años finales de la vida del madrileño. En 1634 su hijo Lope Félix se ahoga pescando perlas en la isla caribeña de Margarita, y en noviembre de ese mismo año sobreviene al escritor otro golpe demoledor: Antonia Clara, que había cumplido diecisiete años el 12 de agosto y es la única hija que vive con él en casa (su hija Marcela había profesado órdenes religiosas en 1623), es raptada por Cristóbal Tenorio, un hidalgo galán suyo. Para desánimo de Lope, sus intentos por que intervenga la justicia son infructuosos, dado que el raptor es hombre de Palacio y goza de la protección del Conde-Duque de Olivares. Son años, pues, sombríos, de sucesivas tragedias personales que minan el ánimo del viejo Lope.

También en el plano profesional es una época de dificultades y desilusiones. En 1621, con la subida al trono de Felipe IV y la progresiva consolidación de un nuevo hombre fuerte en palacio, Gaspar de Guzmán y Pimentel (por entonces todavía conde de Olivares), Lope ve de nuevo abierta la posibilidad de obtener el mecenazgo regio que había buscado infructuosamente desde hacía décadas. Retoma las oportunidades de promoción literaria que ofrece la difusión impresa de sus obras y en 1621 publica *La Filomena*, un volumen misceláneo de poemas, algunos de ellos mitológicos, y una novela, con el que Lope pretende demostrar su dominio de los nuevos géneros literarios de moda. Otro volumen misceláneo, *La Circe*, aparece en 1624, donde de nuevo se entremezclan novelas a la manera italiana con el ambicioso poema mitológico que da título a la obra, además de otras composiciones poéticas. Sin embargo, los nuevos intentos del Fénix por formar parte del selecto grupo de artistas protegidos por la corte no cosechan los frutos pretendidos, pues si bien recibe algunos encargos para componer comedias para palacio, no obtiene el mecenazgo estable del que se cree merecedor. Así, en 1629 se presenta al puesto de cronista de Castilla, cargo que ya había intentado obtener sin éxito en 1611 y 1620, pero es nombrado cronista el joven José de Pellicer y Tovar, seguidor de Luis de Góngora, lo que le vale la enemistad de Lope y motiva un cruce de ataques entre los dos durante los años siguientes. Años, en definitiva, de desilusión personal, durante los cuales Lope se lamenta de no recibir el reconocimiento cortesano por su carrera literaria y los servicios que ésta ha prestado a su patria. Más fortuna tiene con la publicación en 1627 de *La corona trágica*, poema épico histórico sobre María Estuardo, la reina católica inglesa del siglo XVI, que Lope dedicó al Papa Urbano VIII, quien se lo agradeció otorgándole al año siguiente un doctorado en Teología y la Cruz de la Orden de San Juan de Jerusalén. Consigue así de la Iglesia los beneficios del mecenazgo que no le concede Palacio.

En el plano literario tampoco es una época apacible. Por un lado, Lope sigue enfrentado a los seguidores de la escuela poética de Góngora, fallecido en 1627, tal y como se refleja, por ejemplo, en la escena inicial del drama que nos ocupa. Su afán por reivindicar su posición en la República de las Letras explica la aparición, en 1630, de su *Laurel de Apolo*, nuevo volumen misceláneo cuyo poema principal traza un interesado panorama del Parnaso español contemporáneo, en el que Lope reclama para sí mismo la posición preeminente frente a los poetas que siguen la estela del cordobés.

Por otro lado, la competencia de jóvenes dramaturgos, como Rojas Zorrilla, Calderón de la Barca o Mira de Amescua, que además gozan de mayor favor en la corte, acentúa esta sensación de desánimo en Lope. En esta etapa final de su vida disminuye su ritmo de producción e incluso piensa en dejar de escribir para el teatro comercial por su cansancio y el empuje de sus competidores. En una carta que escribe hacia 1630 al duque de Sessa, su protector y amigo desde hacía un cuarto de siglo, el Fénix expresa abiertamente esta desazón: «Días ha que he deseado dejar de escribir para el teatro, así por la edad, que pide cosas más severas, como por el cansancio y aflicción de espíritu en que me ponen ... Ahora, señor excelentísimo, que con desagradar al pueblo dos historias que le di bien escritas y mal escuchadas he conocido o que quieren verdes años o que no quiere el cielo que halle la muerte a un sacerdote escribiendo lacayos de comedias, he propuesto dejarlas de todo punto por no ser como las mujeres hermosas, que a la vejez todos se burlan de ellas». Pese a estos momentos de hastío y decepción, el Fénix nunca abandona la pluma ni deja que las circunstancias empañen su esplendor: en esta etapa de senectud —y hasta poco antes de su muerte— sigue escribiendo obras de enorme calidad para el teatro, que se caracterizan por la experimentación tanto en los límites genéricos como en la configuración dramática de la acción. Buena muestra de ello es la innovadora *La selva sin amor*, pieza cantada y con una elaborada escenografía que se representa en una fiesta real en el Alcázar de Madrid en 1629, o las deliciosas comedias urbanas de *La noche de San Juan*, escrita para la fiesta privada organizada para el monarca en las festividades de San Juan en 1631, y *Las bizarrías de Belisa*, de 1634, así como *¡Si no vieran las mujeres!*, comedia en la que el ambiente palatino enmarca una divertida fábula de amores. Una de estas obras, quizá la más sobresaliente de toda la producción del Fénix, es precisamente *El castigo sin venganza*, donde las posibilidades del drama de cariz más trágico se elevan hasta nuevas cotas. Lope participa así de la madurez que caracteriza la escena española coetánea, y que ha llevado a la crítica a considerar los años que van de 1630 a 1640 como la década dorada del teatro clásico español. Y cuando en 1634 se levanta la prohibición de publicar comedias que llevaba en vigor en Castilla desde hacía una década, el Fénix rápidamente lleva a cabo los preparativos para poder publicar dos nuevas *partes* o volúmenes de comedias suyas.

También escribe Lope en esta etapa de senectud algunas de sus mejores obras no dramáticas, en las que plasma con versos de gran intensidad emocional y portentosa factura literaria su sensación de desánimo y desilusión: así ocurre en la conocida como *Égloga a Claudio*, epístola poética escrita hacia 1632 en la que repasa su trayectoria y sus méritos como escritor, y que funciona como memorial literario frente a los desagravios recibidos por la corona, o en el poema *Huerto deshecho*, también de hacia 1632, una metáfora de la crisis del anciano Lope ante las tragedias que sacuden sus años finales de vida. Mención aparte merecen dos de los mejores libros del Fénix: por un lado, *La Dorotea*, aparecida en 1632, una comedia en prosa que participa de la tradición celestinesca, y en la que Lope recupera y adapta libremente sus amores juveniles con Elena Osorio y su traumática ruptura con ella; por otro lado, las *Rimas humanas y divinas del licenciado Tomé de Burguillos*, publicado en 1634, un cancionero lopesco en el que un heterónimo del poeta, el pobre licenciado que da título al volumen, ridiculiza y parodia convenciones y temas que habían caracterizado la anterior obra lírica del Fénix. La mirada desilusionada del Lope anciano se vuelve así sobre su propia producción para ofrecernos una obra a la vez tremendamente moderna, por el desdoblamiento de personalidades, y de una densidad puramente barroca.

Finalmente, Lope enferma y fallece en su hogar de la calle de Francos el 27 de agosto de 1635. Su féretro es trasladado desde su casa por las calles de su ciudad natal y en medio del dolor popular hasta la cercana iglesia de San Sebastián, donde es enterrado. Versos y oraciones fúnebres, e incluso una comedia, se escriben durante los meses siguientes a su fallecimiento para ensalzar la obra del vate madrileño y llorar su muerte, muchos de los cuales son recogidos por su discípulo y amigo Juan Pérez de Montalbán en un volumen titulado *Fama póstuma* y aparecido en 1636. Las circunstancias hicieron que años más tarde sus huesos fuesen trasladados del nicho donde se encontraban al osario general de la parroquia, por lo que sus restos se han perdido para la posteridad: sus versos y prosas se convirtieron así en el inmortal túmulo del Fénix de los Ingenios.

LA OBRA

La fuente

La acción que dramatiza *El castigo sin venganza* se basa en unos acontecimientos históricos que tuvieron lugar en la región italiana de Ferrara en el primer cuarto del siglo XV. Nicolò d'Este, tercer marqués de Ferrara entre 1393 y 1441, destacó por una reputada actividad política y militar, pero también por ser un mujeriego que tuvo varios hijos ilegítimos. Tras morir su esposa Giliola da Carrera, se casó de nuevo en 1418 con Laura Malatesta, hija de los señores de Cesena y conocida familiarmente con el nombre de Parisina. Aunque era mucho más joven que su esposo, y pese a su belleza, el Marqués siguió buscando los placeres que proporcionaba una vida licenciosa. En un principio la nueva marquesa de Ferrara tuvo una relación tensa con el mayor de los hijos ilegítimos del Marqués, Ugo d'Este, quien tenía una edad similar a la de su madrastra. No obstante, en 1424 Parisina acudió a Rávena a visitar a sus familiares acompañada de Ugo. Allí los dos jóvenes congeniaron hasta tal punto que se convirtie-

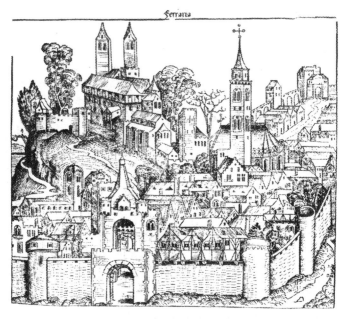

*Vista de la ciudad de Ferrara, según un grabado incluido
en el* Liber chronicarum *(1493) de Hartmann Schedel.*

ron en amantes. De regreso a Ferrara, mantuvieron su relación en secreto, pero una criada alertó a Nicolò d'Este de lo
que sucedía por despecho contra su señora. El Marqués, para
asegurarse de la veracidad de la acusación, espió a los amantes a través de una rendija que daba a la habitación de su esposa y así pudo confirmar la veracidad del adulterio. Lleno
de ira, hizo aprisionar a su esposa e hijo en dos celdas diferentes del palacio de Ferrara y mandó que decapitaran a los
dos como castigo por su adulterio. La ejecución tuvo lugar el
21 de mayo de 1425.

Esta historia fue recogida por Matteo Bandello en forma
de *novella* e incluida, bajo el número XLIV, en la primera parte de su libro *Le tre parti delle novelle*, publicado en 1554. En
su versión novelizada de los hechos, Bandello introdujo al-

gunos cambios respecto a los acontecimientos reales para incrementar el interés narrativo, principalmente al hacer que fuera la joven esposa del Marqués, enojada por las infidelidades de su marido, quien lascivamente sedujera a su hijastro como venganza contra su esposo. De las más de doscientas novelas de Bandello, unas setenta −entre ellas la historia de los trágicos hechos de Ferrara− fueron traducidas libremente al francés por Pierre Boaistuau y François de Belleforest, y publicadas en la antología titulada *Histories tragiques*, que salió en siete volúmenes entre 1564 y 1582. Esta versión francesa fue a su vez traducida al español en un volumen titulado *Historias trágicas ejemplares, sacadas de las obras de Bandello, veronés*, publicado por primera vez en 1589 y reeditado en 1596 y 1603. En relación con la historia de Parisina y Ugo d'Este, tanto la traducción francesa como la posterior versión española contienen más consideraciones morales que el original de Bandello y, especialmente en el caso de la traducción castellana, se reiteran las alusiones al carácter incestuoso de la relación entre los dos amantes, aspectos que tienen su reflejo en la configuración de la tragedia del Fénix.

Lope posiblemente no leyó a Bandello en su idioma original y sólo conoció sus novelas a través de la traducción al español hecha a partir de la antología francesa. En todo caso, el novelista italiano fue una fuente relativamente importante de inspiración para el dramaturgo madrileño, pues más de una docena de comedias del Fénix se inspiran en diversas historias suyas. El aprovechamiento por parte de Lope del material novelístico de Bandello data de fechas bien tempranas: la comedia de *Carlos el perseguido*, fechada a finales de 1590 e inspirada en una de las novelas de Bandello, es un magnífico ejemplo de cómo el material bandelliano entra a formar parte rápidamente del modelo dramático lopesco. La influencia del universo novelístico del italiano se mantuvo vigente durante las siguientes décadas, aunque decayó hacia los años finales de creación del Fénix. *El castigo sin venganza* se presenta así como el último aprovechamiento de una rica relación literaria que había dado frutos excelentes durante cuarenta años.

Cabe destacar asimismo la deuda que *El castigo sin venganza* mantiene con otros textos literarios. El motivo de los amores incestuosos entre una mujer y su hijastro contaba con una tradición precedente, conocida por el Fénix, y fue aprovechada en la composición del drama que nos ocupa. La historia clásica de amor entre Antíoco y su madrastra Estratónice, por ejemplo, es mencionada explícitamente en el tercer acto y funciona, por su final feliz, como contrapunto simbólico a la historia de Federico y Casandra. Debe mencionarse también la historia de los amores incestuosos entre Fedra y su hijastro Hipólito, que el Fénix conoció principalmente a través de la tragedia de Séneca *Hipólito*, aunque no hay mención alguna a estos amores prohibidos en *El castigo sin venganza* y su repercusión concreta sobre la acción del drama es discutida por la crítica. Por último, también se ha destacado la presencia de la historia bíblica de David y Absalón, a la que se alude en el tercer acto, y que dota de rico simbolismo bíblico el final de la obra, con la identificación que hace el duque de Ferrara con el rey israelita, castigado por Dios a causa de su concupiscencia con la violación pública de sus mujeres a manos de su propio hijo Absalón. Sirva este rápido repaso como ejemplo de la riqueza de este drama de Lope, en el que las alusiones a otros textos literarios se entretejen con el argumento principal y enriquecen el sentido de la acción. Si bien Lope encontró en la *novella* de Bandello y los amores de Parisina y Ugo d'Este los elementos básicos con los que tejer una fábula dramática y comenzar a dar forma a los personajes principales, *El castigo sin venganza* no se limita a ser una mera adaptación rigurosa de la historia novelizada al escenario barroco: la novela es sólo un punto de partida desde el cual Lope configura una drama que trasciende la fuente original para adentrarse en un mundo conflictivo, dominado por las pasiones humanas más profundas y que, llevadas a una situación límite, se resuelven finalmente de forma trágica y humanamente intensa.

Historia vndecima.

De vn Marques de Fe ᷓa, que fin reſpeto del amor paternal, hizo degollar a ſu
proprio hijo, porque le hallò en adultє, io
con ſu madraſtra, a la qual tambien hizo
cortar la cabeça en la carcel. Repartese
en cinco capitulos.

Summario.

Vesto q́ en la memoria de los hombres, los amores
inſtuoſos ayan ſido deſſagradables, en la preſen
cia de Dios, y en el reſpeto delos hōbres, los eſcandalos
q́ ſe han ſeguido dellos daran baſtante teſtimonio, aſsi
de la grauedad del peccado, como del mal que cauſa en
las caſas y perſonas donde ha tenido algun acrecenta-
miento, y derramado ſu ſimiente. Por eſte fue muerto
a traycion Amon hijo de Dauid por ſu proprio her
mano Abſalon, el qual cayendo deſpues en eſte miſmo
v   o, vſando deshoneſtamente delas   oncubinas de ſu
ᷓdre, por juſta vengança de Dios fue muerto miſe-
ᷓblemente por Ioab gene al de la gente de armas de
Iudea: y traeremos aqui la brutal y inceſtuoſa deshone
ſtidad de vna Semiramis, y alabarla hemos de la muerte
q́   fue cōforme a ſus mere   :o

L l 3   prias

Primera página de la traducción española, incluida en el libro
Historias trágicas ejemplares *(1589), de la novella de Bandello que*
narra el adulterio de la marquesa de Ferrara con su hijastro.

El castigo sin venganza y el drama palatino

En el prólogo que redactó para la primera impresión de *El castigo sin venganza*, aparecida en 1634, Lope hizo una breve declaración sobre el carácter innovador de su obra: «Está escrita al estilo español, no por la antigüedad griega y severidad latina, huyendo de las sombras, nuncios y coros, porque el gusto puede mudar los preceptos, como el uso los trajes y el tiempo las costumbres». Con estas pocas líneas Lope explicita su conciencia de ofrecer una obra que no se sitúa en el ámbito de la tragedia clasicista, sino que se inserta en la órbita de la Comedia Nueva («al estilo español»). En realidad, tal afirmación no supone una gran novedad en el panorama teatral coetáneo, pues desde el último cuarto del siglo XVI no se había intentado en España la composición de tragedias de acuerdo con patrones clasicistas. Las obras de carácter más trágico que compusieron tanto el Fénix como el resto de dramaturgos durante las primeras décadas del siglo XVII habían estado siempre muy alejadas de «las sombras, nuncios y coros» clásicos y participaban en cambio de los elementos constitutivos de la dramaturgia barroca, caracterizada por la libertad creadora frente a los preceptos. De ahí también que Lope denomine a muy pocas de sus obras con el marbete genérico de «tragedia» —como sí que hace en *El castigo sin venganza*— dada la naturaleza tragicómica de la mayoría de sus dramas, los cuales introducen elementos cómicos ajenos a una concepción purista del género trágico. En general, las obras que el Fénix denominó tragedias se caracterizan por representar intensas emociones humanas protagonizadas por personajes que pertenecen a los estamentos de la nobleza o la realeza a los que les espera un final funesto. Se trata de elementos dramáticos que pueden estar más o menos cercanos a los rasgos que los teóricos neoaristotélicos consideraban constitutivos de la tragedia (como sucede, por ejemplo, con el final funesto o el protagonismo de personajes nobles o regios), pero que se entretejen con elementos propios de la Comedia Nueva, tales como la presencia de elementos cómicos, muchas veces a través de la figura típica del gracioso, o la ruptura de las unidades de espacio y tiempo. Para comprender mejor el carácter novedoso de *El castigo sin venganza* conviene volver la vista a la práctica dramática del propio Fénix, pues es en el marco de su producción teatral donde mejor se observa los rasgos más innovadores de esta tragedia. En concreto, hay que situar *El castigo sin venganza* en el conjunto de los diferentes subgéneros por los que se desenvolvió Lope y atender a las desviaciones que se encuentran en este drama respecto a la norma general. Como muy bien ha estudiado Joan Oleza, la variedad genérica es un rasgo capital del *corpus* dramático lopesco, así como la continua vocación de experimentación que muestra el dramaturgo madrileño en el marco de cada uno de los subgéneros en los que se adentra, forzando con frecuencia los límites genéricos y planteando conflictos dramáticos similares desde ópticas diferentes. *El castigo sin venganza* no es tanto una reformulación de conceptos clasicistas de la tragedia –pues la práctica teatral de las décadas anteriores ya había superado en la práctica las convenciones neoaristotélicas de la tragedia– como una renovación y exploración de nuevas coordenadas dentro de la dramaturgia del propio Lope.

En este sentido, *El castigo sin venganza* se sitúa en la línea de los dramas palatinos, una modalidad a la que pertenecen más de una treintena de obras del madrileño. Así lo determina, por ejemplo, el marco palatino de la acción, la condición social elevada de los protagonistas o el planteamiento de una serie de temas de carácter serio (el amor imposible o las responsabilidades del buen gobernante, entre otros). Si bien la propuesta dramática con la que Lope irrumpió en los escenarios españoles se fundamentó en gran medida en el universo liberador de la comedia, incluida la ambientada en un universo palatino basado en la imaginación fantasiosa, el dramaturgo madrileño también se interesó por las posibilidades teatrales que le ofrecía el mundo del drama, que reconfiguró en la mayoría de ocasiones en forma de lo que pasó a conocerse con el nombre de *tragicomedias* por incorporar elementos cómicos. Gran parte de las primeras obras del Fénix de tema más serio son de carácter histórico, especialmente de la historia de España, pero otros casos, como *Los embustes de Fabia, Carlos el perseguido* o *El favor agradecido*, por citar sólo tres ejemplos de obras escritas en la primera mitad de la década de 1590, demuestran el temprano interés del Fénix por el drama palatino. El número de este tipo de obras se incrementó notablemente en las primeras décadas del siglo XVII, cuando Lope dedicó más atención en general al universo de lo serio y, especialmente, a la modalidad palatina. Buena muestra de ello son los cerca de veinte dramas palatinos que datan de 1600 a 1620, entre los cuales se encuentran obras de gran calidad como *El mayordomo de la duquesa de Amalfi, El duque de Viseo* o *El premio de la hermosura*. Y en la etapa final de su vida el Fénix mantiene el mismo interés por este tipo de dramas, como demuestran la tragedia que nos ocupa u obras como *Del monte sale quien el monte quema* o *La boba para los otros y discreta para sí.* Este conjunto de dramas palatinos, que se extiende a lo largo de cuarenta años de actividad literaria, presenta una serie de rasgos comunes que permiten configurar las características básicas del género en el teatro de Lope. A grandes rasgos, el drama palatino lopesco se define por el carácter serio de la acción, que puede llegar hasta la tragedia más pura, pero que suele concluir con un final feliz. La fábula se desarrolla en un marco de irrealidad verosímil, concretamente en un ambiente urbano y palatino (junto con un espacio campestre que suele funcionar de contrapunto simbólico) que se localiza las más de las veces en un ambiente no español: regiones europeas como Hungría, Inglaterra o Italia configuran espacios habituales en los que transcurren las diferentes escenas. A ello se une muchas veces una imprecisión temporal que, si en ocasiones tiene visos de situarse en un marco vagamente contemporáneo, impide en diversos casos situar la acción en un tiempo específico. A estos elementos de carácter dramático hay que añadir la presencia de temas complejos como son la usurpación injusta del poder, las consecuencias de la existencia de un favorito en la corte, las frivolidades de un monarca llevado por la lujuria o la presencia en escena de una revuelta popular. También se repiten motivos como el ocultamiento de la identidad, los amores prohibidos o la persecución de alguno de los protagonistas por razones políticas o amorosas.

Al confrontar *El castigo sin venganza* con el resto de dramas palatinos salidos de la pluma de Lope se observa rápidamente hasta qué punto la obra que nos ocupa se aleja de algunos de los planteamientos que se habían ido tipificando en el subgénero con el paso de los años. La experimentación en los límites del género palatino es, de hecho, una característica de esta última etapa en la producción del Fénix, y esto es particularmente evidente en el caso de *El castigo sin venganza*. Así, un rasgo que comparte la inmensa mayoría de dramas palatinos es que, pese a su configuración en el ámbito serio y a bordear peligrosamente los linderos de lo trágico, el conflicto se resuelve de forma positiva para los protagonistas con el restablecimiento del orden social que se había perdido durante el desarrollo de la acción. Se trata, en definitiva, de dramas de final feliz, que eliminan la catástrofe final y que a veces presentan un desenlace doble, con la recompensa del personaje positivo y la penalización del personaje negativo, una modalidad sobre la que teorizó el dramaturgo Giambattista Giraldi Cinzio y que denominó dramas *a lieto fine*, las cuales respondían a la necesidad didáctica de premiar la virtud y castigar el vicio. En efecto, son pocas las piezas lopescas que, perteneciendo más al ámbito de lo trágico y estando ambientadas en el universo palatino, concluyan de una manera que no suponga la recuperación armónica del orden y la recompensa de la virtud. En el conjunto de la treintena de dramas palatinos de Lope que se conocen, sólo *La hermosa Alfreda* (1596-1601), *El mayordomo de la duquesa de Amalfi*

(1599-1606), la primera parte de *Don Juan de Castro* (probablemente de 1604-1608) y *El duque de Viseo* (probablemente de 1608-1609), además de la tragedia que nos ocupa, presentan un final que, por su naturaleza, puede ser considerado trágico. E incluso en el caso de *Don Juan de Castro* se trata de un final en falso, dado que la obra acaba en tensión, con la incertidumbre sobre el destino del protagonista, pero la segunda parte de la obra reconducirá la acción hacia el esperado final feliz. *El castigo sin venganza*, con su final trágico, que recurre incluso a un elemento de la tragedia de horror con la presentación en escena de los cadáveres de los dos amantes, se aleja así de lo que era la práctica usual de Lope al abordar la materia palatina para adentrarse plenamente en el ámbito de lo trágico y la destrucción final de los protagonistas.

Por otro lado, el carácter fabulado de la acción que define los dramas palatinos de Lope está mitigado en *El castigo sin venganza* por el componente histórico de los amores de Casandra y Federico, un rasgo al que alude el propio Fénix en el prólogo que incluyó en la primera edición de la tragedia y que detectaría el sector más letrado del público. Lope ya había vinculado historia y tragedia en su *Arte nuevo de hacer comedias* al afirmar que «por argumento la tragedia tiene / la historia y la comedia el fingimiento» (vv. 111-112), y algunas de sus obras más trágicas se fundamentan en acontecimientos históricos difundidos a través de obras literarias. También desaparecen motivos prototípicos del subgénero, como el que algún personaje tenga que ocultar su identidad verdadera para salvaguardarse, o se transforman, como sucede con el motivo del gobernante lujurioso, que adopta en la figura del duque de Ferrara una dimensión más compleja al alejarse de lo patrones más usuales y ser al mismo tiempo un marido injuriado. En cambio, Lope retoma en *El castigo sin venganza* un motivo que ya había empleado en otro drama veinticinco años antes: el de la mujer enamorada de su hijastro. Así, encontramos al principio de la primera parte de *Don Juan de Castro*, un drama palatino que tiene también mucho de drama historial de mudanzas y fortunas, la figura de la princesa de Galicia, quien, casada en segundas nupcias, se enamora de su hijastro, don Juan de Castro, al que revela su pasión aprovechando un momento en el que están a solas. Éste, al oír tan horrible proposición, huye de Galicia con la excusa de marchar como peregrino a Jerusalén, momento a partir del cual la historia se desarrolla en una serie de episodios novelescos. El motivo que en la primera parte de *Don Juan de Castro* sirve sólo como elemento desencadenante de la acción y que fuerza al protagonista a escapar de su tierra para embarcarse en busca de una nueva vida adopta en *El castigo sin venganza* una forma mucho más compleja y con una importancia central en la acción. Por último, contribuye a la difuminación de los límites del subgénero palatino en la obra que nos ocupa su resolución final, que se adentra en las coordenadas propias del drama de la honra, un subgénero por el que ya se había interesado Lope desde fechas tempranas y que por esos años alcanzará su plenitud con Calderón de la Barca. Frente a las motivaciones políticas que caracterizan otros finales funestos en dramas palatinos de Lope, en el caso de *El castigo sin venganza* el Duque castiga a los amantes como lo hará cualquier marido deshonrado de estirpe calderoniana, reflexionando fríamente sobre la mejor manera de limpiar su honor conyugal sin que el castigo final haga pública la deshonra e incremente así su infamia. No es casual el que una de las obras que triunfó en los escenarios madrileños en la temporada teatral de 1630 fuera un drama de la honra que tuviera por título *De un castigo, dos venganzas*. Lope sin duda conoció esta obra de Juan Pérez de Montalbán, su fiel amigo y discípulo, y la similitud entre ambos títulos posiblemente llevaría al público a establecer relaciones entre ambas obras, al igual que haría con el drama palatino calderoniano *De un castigo, tres venganzas*, escrito hacia 1628. Resulta curioso que la compañía que representó con gran éxito el drama de Montalbán fuera la dirigida por Manuel Álvarez Vallejo, precisamente la misma que se encargaría de dar cuerpo sobre los tablados a *El castigo sin venganza* un par de años más tarde. Lope, pues, se adentraba en un subgénero que cobraba nuevas fuerzas en el panorama teatral contemporáneo, que abría nuevas posibilidades argumentales y que disfrutaba de éxito entre el público.

En definitiva, *El castigo sin venganza* pertenece al subgénero de los dramas palatinos, pero presenta un elevado grado de experimentación, típica de la etapa final de producción de Lope. Contribuyen a la ruptura de los límites genéricos aspectos como la fundamentación de la tragedia en materia de trasfondo histórico, la sustitución de motivos tradicionales por un tema más centrado en un drama pasional y, especialmente, una conclusión trágica más propia de los dramas de la honra. Lope construye así un drama complejo, que se nutre de su propia tradición pero que al mismo tiempo se adentra por nuevos cauces, con la intención de superar a sus competidores más directos con un drama perfectamente construido y de enorme profundidad pasional; como apostillaría décadas después el editor portugués de la tragedia: «Cuando Lope quiere, quiere». Mas no sólo escribió una obra sobresaliente en competencia con los dramaturgos de su época: con *El castigo sin venganza*, Lope se superó a sí mismo.

El conflicto con lo absoluto

¿Dónde radica el carácter trágico de la acción de este drama? Uno de los aspectos debatidos por un amplio sector de la crítica ha sido precisamente el de establecer quién es el protagonista trágico en *El castigo sin venganza*: si el Duque, que pierde a su mujer e hijo como consecuencia de su vida licenciosa y de desatender sus obligaciones como marido, o Casandra y Federico, que pagan su amor con la vida. Lo cierto es que parece excesivamente reduccionista intentar concentrar el componente trágico de la obra exclusivamente en un único personaje, dado que se construye sobre varias situaciones agónicas: Federico lucha consigo mismo debido a la pasión prohibida por su madrastra, que sólo puede arrastrarle al desastre; el Duque se debate entre la piedad paterna y el deseo de venganza del marido ultrajado; Casandra se enfrenta al conflicto de si debe guardar la ley de un matrimonio que ha resultado ser un fracaso o sucumbir al abismo de una pasión prohibida por adúltera e incestuosa. La crisis vital, el sentimiento de culpa y el sufrimiento que conllevan las decisiones tomadas por los protagonistas arrastran a la destrucción final tanto al duque de Ferrara como a Casandra y Federico. El carácter trágico de estos personajes y de los sucesos que se representan en escena se fundamenta en el carácter dubitativo y oscilante de los protagonistas ante el desarrollo de los acontecimientos y, concretamente, en el hecho de que deben enfrentarse ante disyuntivas que no ofrecen una solución viable a sus conflictos. La ausencia de una salida salvadora los condena a todos, pues sea cual sea su decisión está abocada al desastre. En ningún momento se intuye en el desarrollo de la acción que haya una posible decisión por parte de alguno de los protagonistas que impida el desenlace final: allí radica la tragicidad de la acción de *El castigo sin venganza*. El Duque, Casandra y Federico son, en última instancia, víctimas y verdugos de unas pasiones humanas que entran en conflicto con las convenciones sociales a las que se ven lanzados, y cuyas acciones y transgresiones los conducen a una destrucción que son incapaces de evitar.

En efecto, *El castigo sin venganza* se configura como un drama pasional que se adentra en los niveles más profundos de lo humano a través del devenir trágico de los protagonistas: es pasional porque la fábula dramatiza los amores prohibidos entre el joven conde Federico y su madrastra, la bella Casandra, con quien se casa por conveniencia el duque de Ferrara ante la presión de sus súbditos, deseosos de tener un legítimo heredero dada la condición de hijo bastardo de Federico; es trágico porque el amor que surge entre Federico y Casandra es un amor prohibido, que colisiona frontalmente con las convenciones sociales de la época y que empuja a los protagonistas a un enfrentamiento imposible contra unos valores absolutos que condenan de antemano a los amantes a un desenlace funesto. El deseo amoroso y la libertad individual para tomar sus propias decisiones se erigen como transgresión del orden establecido y de la ley, concretada aquí en el matrimonio y, especialmente, en el código barroco del honor, elementos que establecen un enfrentamiento dialéctico que concluye con víctimas expiatorias por osar contravenir unos valores absolutos, por la lucha imposible y trágica del individuo contra unas fuerzas que se presentan como superiores a él.

El encuentro fortuito de Federico y Casandra en el camino que une Mantua con Ferrara da lugar a que surja entre ellos una atracción mutua, que perciben sus propios criados. Así, antes de reemprender el camino hacia Ferrara Casandra habla aparte con su criada Lucrecia, a quien le pide su opinión respecto a su futuro hijastro. Lucrecia, recelosa al principio de manifestar abiertamente lo que opina, termina por confesar a su señora que «más dichosa fueras / si se trocara la suerte» (vv. 589-590), es decir, si su padre hubiera concertado su matrimonio no con el Duque, sino con su hijastro el Conde. Casandra admite que sería más feliz si su marido fuera a ser Federico, pero se resigna en un principio a su suerte («Aciertas, Lucrecia, y yerra / mi fortuna, mas ya es hecho», vv. 591-592), pues es imposible ya deshacer el concierto entre su padre y el duque de Ferrara: intentarlo supondría su deshonra y quizá incluso su propia muerte. La convención social se erige así desde el principio como una barrera infranqueable ante los verdaderos deseos de la esposa. Igualmente, Federico pregunta a su criado Batín acerca de su opinión de Casandra, a lo que éste responde con un elogio de la belleza de la dama y con la pregunta de si no sería más adecuado que ella se casara con él y no con su padre («¿No era mejor para ti / esta clavellina fresca...», vv. 638-639), aunque es plenamente consciente de las limitaciones impuestas por la sociedad: «¡Pesia las leyes del mun-

do!» (v. 644). Mas Federico calla en este respecto, pues sabe
que el suyo es «imposible amor» (v. 992). A él también le espera, a su regreso a Ferrara, su propio matrimonio con su
prima, propuesto por Aurora a su tío el Duque como solución para combatir la desilusión de Federico al quedar des-
plazado como heredero de su padre tras su boda con Casandra y como fórmula adecuada para mantener a la propia
Aurora en el seno de la familia: no es casualidad que Aurora
defina su convencional e inocua relación amorosa con Federico como «una ley ... que con el matrimonio será eterna»
(vv. 718-720). Tampoco lo es que sean precisamente los criados de Casandra y Federico quienes expresen en voz alta los
pensamientos de sus señores. La naturaleza prohibida del
amor entre los dos jóvenes impide en un primer momento que
pueda ser verbalizado sin peligro. Por eso, cuando al final del
primer acto Batín está a punto de decir a su señor que se siente atraído por Casandra, Federico le corta en seco y le con-
mina a no pronunciar tales palabras: «¡No lo digas! Es verdad» (v. 980). La imposibilidad de expresar abiertamente
con palabras el amor se compensa por medio de gestos y del
lenguaje simbólico. Cuando Casandra es recibida por vez
primera por su futuro esposo a su llegada a Ferrara, el Duque
se sienta con ella bajo un dosel y hace que todos los presentes le rindan homenaje. Federico es el primero en acercarse a
ella y le besa la mano no una vez, sino tres, gesto al que ella
responde con otro igual de significativo: un abrazo. Respecto al recurso de referencias simbólicas, las alusiones mitológicas cobran en *El castigo sin venganza* una relevancia fundamental, pues a través de ellas expresan los protagonistas sus
sentimientos más profundos: si ya en el primer acto Federico expresa su deseo de poder transformarse como Zeus en
águila para llevarse a Casandra entre sus brazos, en el segundo acto reconocerá la imposibilidad de su amor al comparar-
se con héroes míticos cuyos intentos por alcanzar lo imposible acabaron con sus vidas. Casandra, a su vez, incita al joven
Conde a que se atreva a declararle su amor con la historia de

los amores de Antíoco y su madrastra Estratónice. Esta situación alcanza su clímax al final del segundo acto, cuando Federico finalmente declara a Casandra la pasión que siente hacia ella a través de la glosa del mote *Sin mí, sin vos y sin Dios*. El lenguaje conceptista aquí empleado muestra los límites de la palabra para poder expresar el desgarro interior de Federico, mas el virtuosismo conceptual de estos versos finalmente deja paso a la superación del silencio y las barreras fijadas por la sociedad, y a la completa rendición de Casandra y Federico a su pasión amorosa.

El conflicto entre los deseos del individuo y los límites impuestos por los absolutos sociales alcanza su máxima expresión en el tercer acto, cuando Casandra y Federico deben hacer frente a los hechos ante el regreso a Ferrara del Duque. Su situación es insostenible y, pese al intento de Federico por hallar una solución (casarse con su prima Aurora), un aviso anónimo alerta al Duque de lo que ha sucedido durante su ausencia de palacio, lo que supone la condenación de los dos amantes. El descubrimiento por parte del Duque de que su honor ha sido mancillado por su esposa y su propio hijo conduce a su destrucción, porque la violación de ese valor absoluto que es el honor exige un ineludible sacrificio de sangre. Ahora es el Duque quien se enfrenta ante una trágica disyuntiva: si cede a la piedad paterna, su honor quedará manchado para siempre; si se deja llevar por la venganza propia de marido deshonrado, su mano se manchará con la sangre de su propio hijo. El Duque, pues, racionaliza sus acciones contra los dos amantes y justifica su decisión de aplicar un duro castigo alegando que su culpa ha sido cometida contra una ley divina, la del honor, y es ella la que exige una reparación. De ahí que en un monólogo dirigido a los cielos el Duque concluya que «Éste ha de ser un castigo / vuestro no más» (vv. 2842-2843). El carácter convencional y de pacto social del matrimonio y el honor conyugal que de él se deriva se ven amenazados por la libertad que conlleva el deseo personal de Casandra y Federico, y es esta transgresión la que

Imagen del montaje de El castigo sin venganza *realizado por la Compañía Nacional de Teatro Clásico en 2005.*

se castiga con la vida de los dos amantes. Su muerte sirve así de expiación social y de restauración del orden, de aparente victoria de los valores sociales frente a los peligrosos deseos del individuo y su osadía por enfrentarse a lo absoluto: son las trágicas consecuencias de la pasión por lo imposible.

Realidad y apariencia

Este conflicto entre el deseo y la ley, entre la transgresión y la reinstauración del orden, también se manifiesta por medio de otra oposición fundamental en la estética del Barroco: el contraste entre la realidad y las apariencias, el cual adquiere una importancia notable en *El castigo sin venganza*. Las primeras palabras del drama («¡Linda burla!», v. 1) apuntan ya al engaño como uno de los motivos centrales de la acción y los restantes elementos que configuran el primer cuadro dramático inciden en el ambiente de falsedad que atraviesa Ferrara. Así, el duque de Ferrara entra en escena amparado tanto por un disfraz con el que oculta su verdadera identidad como por la oscuridad de la noche, a la que el criado Ricardo compara precisamente con «una guarnecida capa / con que se disfraza el cielo» (vv. 11-12), mientras que la conversación que se entabla entre el Duque y sus criados gira en torno a cuestiones que se asocian con la falsedad y el engaño: poetas que sólo lo son en apariencia con sus metáforas crípticas, o maridos que se aprovechan de los amantes de sus mujeres y fingen lo que no son. Pero, sobre todo, la escena pone de manifiesto al espectador la falsedad que rodea las acciones del Duque, especialmente con la recriminación que de su conducta lleva a cabo la prostituta Cintia: él es un gobernante metido a seductor callejero nocturno que desdeña la opinión del vulgo, pero que se ha visto obligado a casarse para contentar a sus súbditos, y que no tiene reparos en proseguir con sus correrías licenciosas en vísperas de encontrarse con quien será su nueva esposa y duquesa de Ferrara.

La importancia del conflicto entre la realidad y la apariencia cobra nuevo impulso al desencadenarse el conflicto central del drama. Federico, consciente de la imposibilidad del amor que lo consume, pone en marcha una serie de estrategias con las que intenta ocultar su pasión, aunque a su vez lo alimentan: finge sufrir un estado melancólico para justificar ante su padre y el resto de miembros del palacio la aflicción emocional que lo consume, al tiempo que aparenta tener celos de su prima y el marqués Gonzaga para poder postergar la boda que Aurora había concertado con el Duque. Este segundo engaño, a su vez, motiva que Aurora empiece a fingir interés por el marqués Gonzaga —hasta entonces galán sin éxito— por despecho contra su primo y con la intención de reavivar en él la pasión amorosa picándole con celos. Casandra, por su parte, descubre tras su matrimonio con el duque de Ferrara que se ha visto abocada a interpretar el papel de esposa malmaridada por cuestión de estado, y que la naturaleza licenciosa de su marido la condena además a una situación de deshonor permanente por la que queda reducida a ser mero «adorno, lustre y gala» (v. 1059) de su esposo. Cuando finalmente Federico, espoleado por las palabras de la propia Casandra, termine por desvelar a su madrastra la verdadera naturaleza de sus sentimientos, se pondrá de nuevo en marcha un nuevo juego de apariencias entre los dos amantes, quienes a lo largo de cuatro meses consiguen ocultar su amor adúltero del resto del mundo. Buena muestra de la maestría con la que Lope desarrolla este conflicto entre las apariencias y la realidad radica en el hecho de que Aurora descubre la relación adúltera entre Federico y Casandra a través de una imagen reflejada por un espejo, un símbolo de la problemática línea que separa lo real de lo aparente.

El conflicto entre realidad y apariencia alcanza su cenit en el tercer acto, con el regreso del Duque a Ferrara tras su participación en las campañas militares del Papa y su descubrimiento, alertado por un aviso anónimo, de que su mujer le ha sido infiel con su propio hijo. La irrupción del honor conyugal en el desarrollo de la acción impulsa hasta sus límites la confrontación entre lo aparente y lo real, pues el código del honor se fundamenta en la opinión que los demás tienen de uno mismo y ello obliga a la necesidad de salvaguardar a toda costa la imagen que se proyecta de uno mismo: la apariencia se convierte así en la realidad misma. Los errores de la vida licenciosa del Duque hallan aquí su castigo correspondiente: él, que tanta honra ha quitado a los maridos de las mujeres a las que ha burlado, es ahora la víctima del deshonor conyugal. Tras asegurarse personalmente de que las acusaciones contra su mujer e hijo son ciertas, el duque de Ferrara decide desagraviar su honra perdida no mediante la venganza personal, pues ésta difundiría el deshonor que ha sufrido, sino por medio de un castigo que permita ajusticiar a los culpables sin difundir la causa real de su culpa. El Duque, pues, pretende guardar las apariencias para salvaguardar su propio honor y para ello recurre, cual director teatral, a crear su propia ficción con la que infligir el castigo que tiene reservado para Casandra y Federico. Fingiendo que ha descubierto una conspiración contra su persona, hace llamar a su hijo para que ejecute al traidor, a quien tiene atado y cubierto el rostro en una habitación vecina. Federico, no sin dudas, termina por acceder a los ruegos de su padre y atraviesa con su espada al supuesto conspirador, quien no es sino Casandra. El Conde apenas tiene tiempo para reaccionar al darse cuenta de lo sucedido, pues el marqués Gonzaga, bajo las órdenes del Duque, mata a su vez a Federico creyendo que ha asesinado a su madrastra al descubrir que estaba embarazada y que perdía así la posibilidad de heredar el gobierno de Ferrara. El Duque recurre así al móvil político para justificar ante el resto de cortesanos el asesinato de Casandra por parte de Federico y poder a su vez lograr la muerte de su hijo, un motivo verosímil ante el patente disgusto que había causado inicialmente en su hijo su decisión de casarse. Para el Duque, el castigo se inflige bajo la apariencia de justicia y logra así salvaguardar su honor, guardando las apariencias y transformando lo fingido –la envidia y odio de Federico hacia Casandra– en realidad ante los ojos del resto de cortesanos. Mas esta aparente victoria final de las apariencias no es definitiva. Lope manifiesta de forma soberbia la naturaleza paradójica y cruel de lo sucedido, pues los espectadores del pequeño montaje organizado en escena por el Duque son conscientes del deshonor sufrido: lo sabe el Duque, pero también lo saben Aurora y el Marqués, y muy probablemente el propio Batín, quien aconseja a su nueva señora que acepte la proposición de casarse con el Marqués y marcharse a Mantua, «que no es sin causa / todo lo que ves» (vv. 3005-3006). Y, por encima de todos, el público conoce la verdad de todo lo que ha sucedido entre los muros del palacio ducal de Ferrara. El conflicto entre apariencia y realidad se cierra en falso y quedan, como únicas certezas finales, los cadáveres de los dos amantes expuestos a la vista de todos, mudos y trágicos testigos de lo que realmente ha acontecido.

Unos caracteres complejos

La maestría de Lope no sólo se manifiesta en la intensidad de la acción, sino también en la manera en la que construye su propia fábula dramática. Uno de los rasgos que ha llamado la atención de la crítica en este sentido es la complejidad que presentan los protagonistas, con una profundidad psicológica mayor que la que suele caracterizar los personajes de la comedia española del siglo XVII. En este sentido, los protagonistas participan de ciertas convenciones tipológicas del teatro barroco, pero al mismo tiempo las superan para adentrarse en conflictos mucho más trágicos y humanos. Federico se presenta en la obra aquejado por la gran enfermedad del alma barroca: ya desde la primera escena en la que hace aparición, el príncipe es un hombre dominado por la melancolía, por la tristeza profunda del ánima. En un primer momento se trata de una melancolía causada por motivos políticos, pues Federico ve desaparecer la posibilidad de convertirse algún día en el gobernante de Ferrara con la boda de su padre con Casandra y el probable nacimiento de un heredero legítimo que ocupe su puesto en la corte ducal. La vinculación entre melancolía y política refleja los patrones culturales del Barroco, pues, como se repite en los tratados médicos de la época y se refleja en obras literarias, los príncipes y cortesanos estaban más expuestos a la enfermedad de la melancolía: el tópico se desarrollará en clave cómica en *El príncipe melancólico*, comedia atribuida a Lope aunque no lo sea la única versión conservada, y en clave dramática en el caso del Segismundo de *La vida es sueño*, otro príncipe melancólico encerrado en su propio mundo —en este caso literalmente— por motivos políticos. El melancólico focaliza toda su atención en sí mismo, sepultándose en un círculo de silencio, concentrándose en sus acciones y pensamientos: por eso la primera imagen que el público tiene de Federico lo muestra apartado del resto de miembros de la comitiva que se dirige a Mantua, acompañado sólo por su criado Batín a orillas de un río en medio del bosque, lamentándose de su «disgusto» por la decepción de sus aspiraciones políticas y expresando su deseo de apartarse de todo el mundo, incluso de sí mismo («de mí mismo quisiera retirarme», v. 247). El carácter melancólico de Federico se acentúa al conocer a Casandra y convertirse el amor en el centro de su obsesión, hasta tal punto que el Duque recurre a los médicos para intentar encontrar la causa del mal que aflige a su hijo. Como se ha visto, el Conde se ve imposibilitado durante gran parte del acto segundo a manifestar abiertamente su amor y será Casandra quien finalmente consiga que supere sus temores y le declare lo que siente por ella.

En este sentido, Casandra y Federico constituyen una pareja de protagonistas muy diferentes. Frente a la melancolía del Conde, Casandra se presenta como un personaje con un carácter mucho más fuerte y decidido. Si bien se resigna a llevar a cabo un matrimonio que no termina de ser de su completo agrado, acepta sus responsabilidades en cuanto hija del señor de Mantua. Mas cuando, tras celebrarse las bodas, descubre la verdad del carácter licencioso del Duque y se ve menospreciada por su propio marido, no sólo denuncia magistralmente su situación en el largo parlamento que domina el comienzo del segundo acto, sino que se escuda en el despecho por verse menospreciada como aliciente para decidirse a quebrantar la ley del matrimonio, llegando incluso a denominar como «venganza» (v. 1828) contra su marido su decisión de cometer adulterio con su hijastro. Si Federico es el personaje dominado por la pasión indecible, Casandra actúa con serenidad, pues tras descubrir las intenciones amorosas de su hijastro estudia la situación y sopesa las consecuencias de sus actos, decantándose finalmente por ceder al amor prohibido y tomando las riendas de la situación al lograr que Federico le confiese abiertamente su pasión. No es casualidad que Federico la denomine como «sirena» (v. 2016) que con su voz lo conduce a su perdición, pues, efectivamente, su primer encuentro con Federico tiene lugar en el agua, cuando ella atrae con sus voces al Conde tras su accidente en el camino a Ferrara, y es ella quien logra con sus palabras que Federico le confiese su pasión. Frente a las constantes vacilaciones del Conde, ella es todo ímpetu, como bien se ve en el tercer acto, cuando se anuncia el regreso del Duque a Ferrara tras la campaña militar en el ejército papal y Federico decide que lo más prudente es pedir a Aurora en matrimonio para evitar las suspicacias del Duque y poner fin a las habladurías de palacio. Casandra estalla en celos al escuchar la posibilidad de que Federico regrese a brazos de su antigua dama, amenaza con revelar lo sucedido a voces («que a voces / diga —¡oh, qué mal me conoces!— / tu maldad y mi traición», vv. 2282-2284) y llega a forcejear con el Conde. Y cuando se entera de que Federico ha llegado a pedir a su padre licencia para casarse con su prima Aurora, Casandra ya no reprime su cólera y estalla en gritos, aunque sus amenazas acabarán en llanto y comprensión ante las tranquilizadoras palabras de Federico al reafirmar su amor hacia ella.

El personaje del Duque, por su parte, se construye a partir de la fusión de dos modelos dramáticos: el del gobernante licencioso y el del marido deshonrado. El primer cuadro dramático, con las correrías nocturnas por las calles de Ferrara, pone de manifiesto, como ya se ha señalado, la lujuria del Duque, un rasgo característico de otros poderosos del universo dramático lopesco, así como su compleja relación con su propio honor, pues sus aventuras amorosas no impiden que muestre disgusto por que su opinión corra en boca de los habitantes de Ferrara. Junto con su vida licenciosa, el segundo rasgo que caracteriza al Duque es su voluntad de reforma, expresada por vez primera tras la recriminación de su conducta por parte de la prostituta Cintia. Sin embargo, tal y como manifiestan las quejas de Casandra, tal voluntad no se ve acompañada en un primer momento por los hechos, lo que facilita la infidelidad conyugal de su esposa. La segunda referencia a la enmienda moral del Duque tiene lugar en el tercer acto, tras su regreso triunfal de las guerras italianas al frente del ejército papal. Tanto el propio Duque como los criados que lo acompañan manifiestan que, tras su experiencia en la guerra y sus deseos de vivir feliz en Ferrara en compañía de su esposa e hijo, «ha sido tal la enmienda / que traemos otro Duque» (vv. 2356-2357). La crítica ha debatido acerca de la honradez de esta reforma moral, teniendo en cuenta los antecedentes de los actos anteriores y la irónica referencia al Duque como «santo fingido» (v. 2800) que en un determinado momento hace el gracioso Batín. El que este segundo propósito de enmienda sea completamente sincero o no importa relativamente poco, porque es demasiado tarde: el Duque regresa a Ferrara cuando toda reforma es inútil, pues sólo cabe enfrentarse a las consecuencias de sus actos previos. En ese momento el antiguo burlador descubre que ahora él es el marido burlado, traicionado además por su propio hijo. El Duque se enfrenta ahora a su propio conflicto trágico, pues debe decidir si, como padre, perdona a su hijo y acepta su deshonra o si, por el contrario, actúa como marido y limpia su honor con la muerte de su esposa e hijo. Atrapado entre la piedad filial y la presión del honor, el Duque opta por una solución –evitar manchar sus manos de sangre haciendo que sea otro el que ejecute a los amantes por motivos distintos a los reales– con la que pretende superar su conflicto, pero que sigue teniendo unas consecuencias terribles, dejándolo en un estado final de desolación humana completa, con la muerte tanto de su único hijo como de su esposa. El gobernante licencioso del comienzo de la obra acaba como un hombre que se ve forzado a sacrificar las vidas de su mujer e hijo para salvaguardar su honor conyugal, a instigar la muerte de sus seres queridos y sufrir las trágicas consecuencias de su vida anterior.

Esta tríada protagonista se complementa con un reducido grupo de personajes secundarios, de entre los cuales sobresalen claramente otros tres: Batín, Aurora y el marqués Gonzaga. Si bien Batín responde en un principio al modelo del criado gracioso, cuyos chistes y chanzas buscan la sonrisa o carcajada del espectador, rápidamente esta faceta más convencional deja paso a un personaje cuya mirada intenta comprender el pensamiento de Federico y que expresa abiertamente lo que su señor es incapaz de verbalizar. El propio Federico es consciente de ello cuando se dirige a su criado con las siguientes palabras: «lo que no entiendo de mí / a presumir te provocas» (vv. 1789-1790). Batín se configura así como un gracioso que no se reduce a funcionar como personaje cómico, sino que se revela como perspicaz observador, capaz no sólo de intuir los verdaderos pensamientos de su señor, sino de percibir también las consecuencias del ambiente de falsedad que caracteriza el palacio ducal de Ferrara: de ahí que Batín pida permiso a Federico para abandonar su servicio y poder marcharse a Mantua como criado de Aurora. La prima de Federico y el marqués Gonzaga, por su parte, sirven sobre todo como contraste a la pareja de amantes protagonista. Ninguno de los dos se aparta del comportamiento convencional que se espera de su posición social (Aurora como dama que busca su estabilidad social a través del matrimonio, el Marqués como soldado galán que sirve cortésmente a una mujer hermosa) y su falta de rebeldía personal contra valores absolutos como el matrimonio o el honor los salvaguarda del final trágico: ni Aurora ni el Marqués tienen que enfrentarse ante disyuntivas trágicas, pues su comportamiento no se aparta de patrones socialmente convenidos. Ello no impide que también se vean atrapados en la atmósfera de engaños que atraviesa toda la obra (Aurora cuando finge interesarse por el Marqués para dar celos a Federico) y que participen de la destrucción final de los amantes (es el Marqués quien termina por matar a Federico, y ¿acaso el aviso anónimo que alerta al Duque del adulterio de su esposa ha salido de sus manos?). En definitiva, el modo en el que Lope es capaz de desarrollar la acción con sólo un número reducido de personajes fundamentales es otro de los logros de *El castigo sin venganza*, donde la intensidad de lo que acontece a estos protagonistas prima sobre las complejas relaciones entre personajes que caracterizan otras obras teatrales barrocas.

La concentración del espacio y el tiempo

Varios de los dramas palatinos de Lope se caracterizan por presentar dos tipos de espacios dramáticos contrapuestos a los que se confiere un valor simbólico: en un lado se sitúa el ambiente palaciego, caracterizado por las mentiras, las conspiraciones y los engaños, y que simboliza la opresión de la corte; en el otro lado se encuentra el espacio campestre y bucólico, alejado de la corte y la ciudad, al cual acuden los personajes en busca de refugio, tranquilidad y, en muchas ocasiones, de una nueva identidad con la que pretenden burlar la persecución a la que se ven sometidos en el ámbito cortesano. Es el caso de obras como *La corona de Hungría*, *La Felisarda* o *La ventura sin buscarla*, dramas en los que la acción se fundamenta sobre esta oposición codificada del espacio dramático. Ahora bien, Lope aprovecha esta convención dramática en *El castigo sin venganza* desde una nueva perspectiva, concentrando la oposición entre campo y corte en aras de conseguir un calculado efecto en el desarrollo de la acción. Así, el primer cuadro dramático del primer acto se desarrolla en las calles de la ciudad de Ferrara, un espacio abierto que se corresponde con la libertad licenciosa de las correrías nocturnas del Duque y de sus criados, quienes recorren calles y casas en busca de nuevas presas femeninas con las que satisfacer el impulso sexual del gobernante ferrarés. El espacio de la ciudad se construye simbólicamente como un lugar de libertad, en el que no sólo el duque de Ferrara tiene la posibilidad de dar rienda suelta a sus deseos pasionales, sino donde también tiene que soportar oír de boca de una prostituta las verdades que pretende rehuir, esto es, que sus devaneos amorosos atentan contra la dignidad y responsabilidad que se derivan de su posición social. Este espacio urbano, aunque abierto, se complementa con el hecho de que la acción transcurre durante la noche, capa de oscuridad que es comparada con el disfraz del Duque y que ayuda a ocultar los escarceos amorosos del gobernante de Ferrara.

A este espacio abierto y urbano le sucede otro también abierto, pero campestre: concretamente una zona selvática, algo apartada del camino que une Ferrara con Mantua y en la que sauces y otros árboles se reúnen en torno a un río cuyas traicioneras orillas provocan el accidente del coche de Casandra. Al igual que el ámbito de las calles de Ferrara, esta selva se caracteriza por ser un espacio abierto y simbólicamente vinculado a la libertad: es allí donde Federico, acompañado tan sólo por Batín y apartado del resto de los criados, puede expresar en voz alta su tremenda desilusión ante el inminente matrimonio de su padre y su desazón por ver cómo esta boda arruina sus esperanzas de ser nombrado el heredero legítimo de Ferrara y suceder en el gobierno a su padre tras su muerte. Pero sobre todo es el espacio donde se produce el encuentro casual (*fatal* sería el término más apropiado) entre Federico y Casandra, donde se cruzan inesperadamente las trayectorias de los dos jóvenes. Las anómalas circunstancias que caracterizan el encuentro dan al traste con todo el protocolo que hubiera caracterizado el encuentro entre la futura duquesa de Ferrara y su hijastro de haberse realizado conforme estaba previsto. En cambio, el Conde aparece en escena llevando a Casandra en brazos y salvándola del peligro de perecer ahogada, un contacto físico que rompe con las normas de conducta que serían de esperar y que prefigura visualmente para el espectador la pasión amorosa que nacerá entre los dos jóvenes, pues ya el primer encuentro lleva a Casandra a los brazos de su futuro hijastro. Este espacio selvático se articula así como un ámbito en el que las convenciones sociales quedan temporalmente en suspenso: allí Federico es capaz de manifestar abiertamente su pesar por el matrimonio concertado de su padre y allí tendrá lugar el primer contacto físico entre los dos futuros amantes. La acción de este segundo cuadro se desarrolla, además, en un momento del día con una significativa carga simbólica: la hora de la siesta, cuando el sol más aprieta, una hora del día que se vinculaba en la época con posibles sucesos infaustos.

El tercer y último cuadro de este primer acto se desarrolla en un espacio liminar: un jardín, situado en algún lugar de las afueras de Ferrara, donde el Duque aguarda junto con su sobrina Aurora la llegada de la comitiva en la que viaja Casandra, a la espera también de que terminen los preparativos en la ciudad para recibir a su nueva señora con la celebración correspondiente. Se trata, pues, de un espacio de tránsito entre el espacio selvático y el urbano de Ferrara, como una puerta de entrada al palacio ducal, donde comenzará la nueva vida de desposados para Casandra y el Duque. El primer acto, por lo tanto, se estructura por medio de tres espacios diferentes, siendo los dos primeros ámbitos abiertos, caracterizados por diferentes modalidades de libertad, que se complementan con un último espacio intermedio que prepara el paso al ámbito palatino del resto de la obra.

Porque si este primer acto se caracteriza por presentar la alternancia de espacios abiertos de diferente naturaleza, los dos actos restantes se desarrollan por entero en una sala del palacio ducal de Ferrara, un espacio cerrado que se revelará como un ambiente cargado de tragedia: para Casandra será el hogar desdichado de la malmaridada, el hogar del que huye cada noche el Duque en busca de nuevas aventuras sexuales. Muy adecuadamente, Casandra se referirá al palacio como un nuevo «Argel» (v. 1383) en el que se ve atrapada y del que ansía escapar. La habilidad dramática de Lope le lleva así a optar en los actos segundo y tercero por concentrar al máximo el espacio, sacrificando la alternancia de lugares dentro de un mismo acto que caracteriza su dramaturgia, tal y como ha desplegado en el primer acto de la tragedia, en aras de un incremento de la tensión dramática. Al reducir el espacio a un único ámbito, se focaliza toda la atención en lo que está sucediendo en escena y, sobre todo, en las palabras de los personajes. Dicha unidad de espacio lleva aparejada asimismo la concentración del tiempo y un desarrollo más pausado de la acción que lo que es habitual en el teatro barroco: si el primer acto transcurre a lo largo de una noche y parte del día siguiente, con breves saltos temporales entre los diferentes cuadros dramáticos, tanto el segundo como el tercer acto se desarrollan en correspondencia con el tiempo de la representación y del espectador, es decir, de forma lineal y sin saltos temporales dentro de cada acto. El público asiste así en tiempo real al incremento de la atracción entre Casandra y Federico, a su abandono definitivo a la pasión amorosa y, ya en el tercer acto, al desmoronamiento del idilio entre los dos amantes con el descubrimiento de lo que sucede por parte de Aurora, el marqués Gonzaga y, sobre todo, el duque de Ferrara. La concentración del espacio y el tiempo se muestra así como un efectivo mecanismo teatral del que se sirve el Fénix para acompasar el ritmo dramático a la acción trágica de la obra.

Ferrara y, más concretamente, el palacio ducal se revelan como espacios de corrupción, un laberinto de ilusiones y falsedades que lleva a la muerte. Todos engañan a todos: Federico finge que desconoce el motivo de su melancolía para no desvelar el amor que siente por Casandra, Aurora pretende provocar celos en Federico dejándose galantear por el marqués Gonzaga y Casandra decide vengarse de su esquivo marido cediendo al amor de su hijastro. Es un síntoma de la perversión que caracteriza Ferrara el hecho de que el Duque tenga que abandonar la ciudad para poder reformarse tras los fallidos intentos anteriores. En efecto, tras escuchar en el primer acto las recriminaciones de la prostituta Cintia hacia su conducta licenciosa, el Duque propone corregir su comportamiento de una vez por todas, especialmente con su inminente matrimonio con Casandra. No obstante, tras sus bodas no sólo menosprecia a su esposa por no causar mayor tristeza en Federico, sino que sigue saliendo por las noches en sus correrías amorosas. En cambio, tras marchar a la guerra durante cuatro meses como general de los ejércitos papales, regresa a Ferrara transformado, según sus propias palabras y las de Ricardo, criado que lo ha servido en la guerra. Si bien las circunstancias impedirán que el Duque pueda dar cuenta de si su conversión es completamente real, sí que aparenta ser sincera. En cambio, cuando Federico pide permiso a su padre para acompañarlo en la guerra y demostrar así su valor, su propuesta es rechazada por preferir el Duque que se quede al frente del gobierno de Ferrara. Atrapado en palacio en compañía de Casandra, ambos se ven así casi empujados por la decisión del propio Duque a rendirse a su pasión. Porque en el centro del palacio se sitúa el amor prohibido, adúltero e incestuoso, de Federico y Casandra: es el monstruo en el centro del laberinto ferrarés. Así se nos presenta a principios del acto tercero, cuando Aurora revela al marqués Gonzaga cómo ha descubierto, horrorizada, a Federico besando a Casandra: en la cámara más recóndita de ese laberinto de engaños que es el palacio ducal de Ferrara es donde, paradójicamente, tiene lugar el descubrimiento del terrible secreto de Casandra y Federico, el lugar donde se visualiza la pasión prohibida entre madrastra e hijastro. Aurora no alcanzará a penetrar completamente las habitaciones privadas de Casandra, sino que descubrirá la visión del beso de Federico a su madrastra de forma indirecta, merced de uno de los espejos que decoran las paredes de los camarines de Casandra. Si los tapices, a los que dichos espejos sustituyen, tradicionalmente se asocian con los ojos de las paredes, en este caso el espejo se manifiesta como la ventana por la que Aurora es capaz de observar el espacio más recóndito de Ferrara, la habitación particular de Casandra, y allí está la pasión prohibida, el adulterio, el incesto. La construcción espacial se imbrica así a la perfección con el devenir y el sentido de la acción, mostrando la exquisita y meticulosa habilidad de Lope para confeccionar una obra teatral en la que todas las piezas encajan a la perfección.

«Al estilo español»

Cuando Lope afirma en su prólogo a *El castigo sin venganza* que la obra está escrita «al estilo español» podemos entender tal afirmación no sólo como una referencia a la inserción de la tragedia en el marco de la Comedia Nueva y no de la tradición clasicista, sino también como un distanciamiento frente a la comedia de tramoya al modo italiano, como ha señalado la crítica. Lope conocía bien las posibilidades que ofrecía la comedia de complejidad escenográfica o la comedia musical «a la italiana», destinada para las representaciones palaciegas, como demuestran *El vellocino de oro* o *La selva sin amor*. La comedia de tramoya también se representaba en los corrales tanto de Madrid como de otras ciudades y villas de la península, con gran éxito entre el público por la espectacularidad visual y auditiva de las puestas en escena. En cambio, para *El castigo sin venganza* Lope se aleja de este modelo de complejidad escenográfica y opta, en cambio, por el teatro pobre característico de la comedia barroca: el espacio de un sencillo corral de comedias es suficiente para la

puesta en escena de *El castigo sin venganza*. Los diferentes
espacios en los que se desarrolla la acción de la obra (las calles de Ferrara, un bosque, un jardín, el interior del palacio
ducal) apenas exigen ningún tipo de escenografía: acaso las
escenas que transcurren en una zona boscosa en el camino a
Mantua o en un jardín de Ferrara podrían estar adornadas
por alguna decoración de carácter rústico o floral, pero incluso en estos casos las descripciones que diversos personajes
realizan de estos espacios podrían suplir el uso de decorado
real. La escena más compleja es el último cuadro del primer
acto, cuando el duque de Ferrara y Casandra se sientan bajo
un dosel para que la nueva esposa del Duque sea homena-
jeada por sus nuevos súbditos, lo cual apenas requeriría más
que el uso de algunas sillas, probablemente situadas en el
fondo del escenario. Y el primer cuadro de la obra requeriría
el uso del balcón del primer piso del escenario de los corrales
para que pareciera que la prostituta Cintia se asomaba a la
ventana ante la llamada de uno de los criados del Duque.

Así pues, no es el impacto visual, sino la palabra poética el
pilar fundamental sobre el que Lope erige su drama. Aunque
el dramaturgo madrileño probablemente no dedicó más de
seis semanas a componer su tragedia, los numerosos versos
tachados y pasajes reescritos que figuran en el manuscrito autógrafo muestran que Lope cuidó especialmente la calidad
poética de sus versos, a veces minuciosamente, y perfiló un
texto que no presenta fisura alguna. La preocupación del Fénix por la palabra poética se manifiesta asimismo en el contenido mismo de la obra. Así, ya en la primera escena de la obra
se introduce un tema recurrente en los últimos años del Fénix:
la crítica contra el lenguaje desproporcionadamente cultista y
complejo de los seguidores de Luis de Góngora, una retórica
que no sólo triunfaba entre poetas cortesanos sino que también había ganado favor entre varios de los dramaturgos más
jóvenes que competían con Lope. De ahí, como señaló Juan
Manuel Rozas, que en *El castigo sin venganza* se compruebe la
ausencia de rasgos propios del estilo del poeta cordobés que

Lope había ido incorporado con más o menos timidez a su poesía lírica y dramática desde los años veinte, pero que aquí se evitan, y, en cambio, se observe cómo el Fénix recurre a un lenguaje poético que evoca el conceptismo característico de la poesía de cancionero de finales del siglo XV. La tradición poética más castizamente castellana se contrapone así a las innovaciones gongoristas ridiculizadas al principio de la obra. Esta influencia se percibe, por ejemplo, en diversos parlamentos de Federico, en los que intenta expresar su pasión interna recurriendo a un lenguaje articulado por medio de paradojas, antítesis y juegos de palabras asociados a la tradición poética de los cancioneros. También se percibe esta influencia en el importante uso de quintillas en la obra, una estrofa tradicional castellana que prácticamente había ido perdiendo importancia en el lenguaje dramático barroco de Lope y otros poetas con el paso de los años, hasta prácticamente desaparecer para 1630, pero que en el caso de *El castigo sin venganza* se emplea en el momento climático de la obra: cuando Federico confiesa a Casandra la pasión que siente hacia ella por medio de la glosa del mote *Sin mí, sin vos y sin Dios*, que Lope despliega aquí magistralmente imitando el lenguaje de la poesía cancioneril.

Por último, el Fénix no renuncia a competir con los seguidores de Góngora en lo referente a mostrar su condición de escritor docto, pero frente a sus alusiones cultistas envueltas en una sintaxis latinizante y complicada de sus contrincantes literarios, el dramaturgo madrileño demuestra su erudición con la alusión por parte de los personajes de diversos mitos clásicos, dotándolos además de un sentido simbólico que magistralmente anuncia el sentido de la acción, como ya se ha indicado antes. Buena muestra de ello se encuentra en el segundo acto, cuando Federico alude a una serie de personajes mitológicos, como Faetonte, Belerofonte o Jasón, para expresar la impotencia de su amor, referencias que al mismo tiempo funcionan como presagio del trágico final que conllevará la osadía de Federico de aspirar al amor imposible de Casandra.

Un texto en escena

El autor de comedias que adquirió el texto de Lope para su representación fue Manuel Álvarez Vallejo, un actor con más de veinte años de experiencia en el mundo de la farándula y una de las figuras más importantes en el panorama teatral del segundo cuarto del siglo XVII. Pese a que Vallejo había estado al frente de su propia compañía desde 1620 y con gran éxito, parece que Lope no tuvo contactos profesionales con él hasta alrededor de 1630, cuando su compañía probablemente estrenó el drama palatino del Fénix *La boba para los otros y discreta para sí*. En todo caso, tras concluir *El castigo sin venganza* el manuscrito autógrafo pasó a ser propiedad de Vallejo, quien probablemente pagó entre quinientos y setecientos reales por la obra. Una vez en su poder, Vallejo o alguien en su compañía asignó de manera provisional los principales papeles de la obra a los actores más adecuados, tal y como consta en el reparto que figura en el manuscrito autógrafo de la tragedia. Los papeles principales fueron asignados a tres actores experimentados, con años de trabajo sobre los escenarios españoles: el propio autor se encargaría del papel del duque de Ferrara; su mujer, la célebre actriz María de Riquelme, representaría el papel de Casandra, y Damián Arias de Peñafiel, otro veterano actor, el del conde Federico.

Además de estos preparativos, la compañía también tuvo que presentar el manuscrito ante las autoridades competentes para obtener la licencia necesaria para poder estrenar la obra. Dicha licencia fue otorgada por Pedro de Vargas Machuca el 9 de mayo de 1632. Se ha especulado con la posibilidad de que la tardanza en obtener la licencia pudo deberse a presiones por parte de algún enemigo del Fénix con influencias en la corte —como Pellicer de Tovar— o a una censura por razones políticas —por la conflictiva situación entre los herederos al título de Ferrara o por ver en ella veladas críticas a liviandades regias—, pero actualmente carecemos de datos que avalen tales hipótesis. Lo cierto es que no sabemos en qué fecha Vallejo presentó el manuscrito para obtener la licencia y, además, conocemos varios casos de comedias que no obtuvieron la licencia preceptiva hasta muchos meses después de que el dramaturgo hubiera concluido su obra. A ello cabe añadir el hecho de que la licencia otorgada por Vargas Machuca –amigo de Lope, por otra parte– es elogiosa («este trágico suceso del duque de Ferrara está escrito con verdad y el debido decoro a su persona y las introducidas; es ejemplar y raro caso») y no induce a pensar que la obra tuviera problemas de censura. El drama probablemente se estrenó en Madrid en la primavera de 1632, poco después de que Vallejo obtuviera la licencia para representarla. Con todo, parece que la obra no tuvo un gran éxito en escena, si debemos dar crédito a lo que afirma el propio dramaturgo en el prólogo que acompañó la primera edición impresa de la tragedia: «esta tragedia se hizo en la Corte sólo un día por causas que a Vuestra Merced le importan poco». Sin embargo, es imposible determinar hasta qué punto es cierta la afirmación del Fénix. La compañía de Vallejo siguió representando en la Corte durante los meses de junio y gran parte de julio y a finales de este mes se trasladó a Valencia, donde estuvo representando durante los siguientes cinco meses. Es verosímil suponer que Vallejo pudo representar *El castigo sin venganza* en la capital del Turia durante su larga estancia en esta ciudad. En enero de 1633, cercano ya el final de la temporada teatral, la compañía de Vallejo regresó a Madrid para pasar allí la Cuaresma. Durante los últimos días de enero y la primera semana de febrero, la compañía de Vallejo hizo varias representaciones particulares en Palacio: entre ellas figura una de *El castigo sin venganza*, que tuvo lugar el 3 de febrero. La siguiente noticia que tenemos de representación de la tragedia data del 6 de septiembre de 1635, apenas diez días después de la muerte de Lope, cuando la compañía de Juan Martínez puso la obra de nuevo en escena ante los reyes. ¿Había adquirido Juan Martínez una copia del drama de

Manuel Vallejo? ¿Acaso se trató de un pequeño homenaje en palacio al reciente fallecimiento del dramaturgo que había revolucionado la escena española? Imposible saberlo. Se trata, sin embargo, de la última representación de *El castigo sin venganza* en el siglo XVII de la que se tiene noticia. La fortuna escénica posterior de la que pudo disfrutar este drama de Lope ha quedado silenciada por la falta de noticias documentales. Habrá que esperar hasta el siglo XX para que la obra se recupere definitivamente para los escenarios, cuando se reconocerá su condición de clásico, como muestran, por ejemplo, los montajes llevados a cabo por Miguel Narros en 1985, por Adrián Dumas en 2003 o el más reciente de Eduardo Vasco con la Compañía Nacional de Teatro Clásico en 2005.

LA CRÍTICA

El castigo sin venganza es una de las obras dramáticas de Lope de Vega que más atención ha recibido por parte de la crítica, por lo que contamos con una nutrida bibliografía que aborda el estudio de este drama desde múltiples perspectivas. Ante la imposibilidad de dar cuenta en las páginas que siguen de todas las referencias bibliográficas existentes, ofrecemos aquí un amplio panorama de las tendencias que presentan los trabajos más representativos. La cuestión de las fuentes que manejó Lope para la composición de su tragedia ha interesado a la crítica desde fechas bien tempranas, como muestra el estudio que Émile Gigas («Études sur quelques *comedias* de Lope de Vega. III *El castigo sin venganza*», *Revue Hispanique*, LIII, 1921, pp. 589-604) dedicó a la relación de la tragedia de Lope con la historia original de Matteo Bandello y el «Estudio preliminar» que acompañó la edición que C. F. Adolfo van Dam hizo de la obra (Groninga, P. Noordhoff, 1928), en la que identificó la traducción española del cuento de Bandello empleada por el Fénix. Algunas observaciones interesantes pueden encontrarse en el estudio general que al tema de las fuentes en Lope dedicó Amado Alonso («Lope de Vega y sus fuentes», en *Thesaurus: Boletín del Instituto Caro y Cuervo*, VIII, 1952, pp. 1-24; ahora en *Thesaurus: Boletín del Instituto Caro y Cuervo: Muestra antológica* 1945-1985. *I: Lingüística; II: Historia de la literatura, filología y análisis literario; III: Historia cultural, cultura popular, poesía latina, discursos*, R. Páez Patiño, ed., Instituto Caro y Cuervo, Santafé de Bogotá, 1993, vol. II, pp. 3-26). También se ha estudiado la presencia en *El castigo sin venganza* de elementos de diversas tradiciones literarias, como hace C. B. Morris («Lope de Vega's *El castigo sin venganza* and Poetic Tradition», *Bulletin of Hispanic Studies*, 40, 1963, pp. 69-78) en relación con los tópicos del amor ovidiano. Por su parte, A. David Kossoff destacó la importancia de la historia bíblica de David en la modelación de *El castigo sin venganza* en la «Introducción» a su edición de la obra (junto con *El perro del hortelano*, Castalia, Madrid, 1970). Más recientemente, el trabajo de Manuel Alvar («Reelaboración y creación en *El castigo sin venganza*», *Revista de Filología Española*, 66, 1-2, 1986, pp. 1-38; una versión resumida se incluye en «*El castigo sin venganza*» y *el teatro de Lope de Vega*, R. Doménech, ed., Cátedra, Madrid, 1987, pp. 209-222) retoma el interés por estudiar la presencia y uso de las fuentes y motivos literarios para recrear dramáticamente la historia original. Otro estudio de conjunto de las tradiciones literarias que confluyen en la tragedia de Lope es el realizado por Antonio Carreño («Textos y palimpsestos: La tradición literaria de *El castigo sin venganza* de Lope de Vega», *Bulletin Hispanique*, 92, 2, 1990, pp. 729-747). Por su parte, Victor Dixon e Isabel Torres («La madrastra enamorada: ¿una tragedia de Séneca refundida por Lope de Vega?», *Revista Canadiense de Estudios Hispánicos*, 19, 1, 1994, pp. 39-60) han insistido en una posible influencia de la tragedia *Hipólito* de Séneca en el drama de Lope, fijándose en similitudes textuales, así como de utilización de personajes y situaciones dramáticas.

Una parte importante de trabajos críticos se ha centrado en ofrecer explicaciones interpretativas de conjunto sobre *El castigo sin venganza* atendiendo especialmente al significado moral de las acciones de los personajes principales y a la importancia y sentido que se concede en la obra al tema del honor conyugal. En un estudio clásico, Alexander Parker (*The Approach to the Spanish Drama of the Golden Age*, Hispanic and Luso-Brazilian Councils, London, 1954; versión española en *Calderón y la crítica*, M. Durán y R. González Echevarría, Gredos, Madrid, 1976, vol. I, pp. 329-357; luego ampliado en «The Spanish Drama of the Golden Age: A Method of Analysis and Interpretation», en *The Great Playwrights*, E. Bentley, ed., Doubleday, Nueva York, 1970, vol. I, pp. 679-707) considera *El castigo sin venganza* como un ejemplo de los mecanismos de causalidad y justicia poética que caracterizan el teatro barroco español, e interpreta que el Duque es el héroe trágico cuyas imprudencias conducen a unas consecuencias desastrosas finales. Para Arnold G. Reichenberger («The Uniqueness of the Comedia», *Hispanic Review*, 27, 3, 1959, pp. 303-316), la obra tiene una intención moral relacionada con la necesidad de castigar un crimen cometido contra el honor, lo que a su vez refrena el contenido puramente trágico. Muy influyente ha sido el trabajo de T. E. May («Lope de Vega's *El castigo sin venganza*: The Idolatry of the Duque de Ferrara», *Bulletin of Hispanic Studies*, 37, 1960, pp. 154-182; luego incluido en su libro *Wit of the Golden Age. Articles in Spanish Literature*, Reichenberger, Kassel, 1986, pp. 154-184) dedicado a los protagonistas de esta tragedia. Para May, Federico es el personaje más inocente de todos, siendo casi una figura cristológica. En cambio, el Duque es un ejemplo de lo ordinario monstruoso, quien además se caracteriza por mostrar un orgullo y egoísmo que desembocan en una idolatría de su poder y en una venganza personal hipócritamente presentada como castigo divino. Además, considera que la ironía trágica atraviesa toda la obra, pues el Duque castiga un pecado idéntico a los

que él ha cometido. Otro estudio fundamental es la interpretación de conjunto de Edward M. Wilson («Cuando
Lope quiere, quiere», *Cuadernos Hispanoamericanos*, 54, 1963,
pp. 265-298), quien considera que el Duque es el protagonista trágico de la obra dado que sus vicios lo conducen a una situación de deshonor y a la destrucción de sus seres queridos
mediante un castigo que es también venganza. Incide Wilson asimismo en otros temas que atraviesan toda la obra,
como el conflicto entre la realidad y la apariencia. Para Alba
V. Ebersole («Lope de Vega and *El castigo sin venganza*»,
en *Studies in the Spanish Golden Age*, D. Drake y J. A. Ma-
drigal, eds., Ediciones Universal, Miami, 1977, pp. 76-83), se
trata de una fábula moralizante construida en torno al tema
del honor, que concluye con un Duque castigado con el re-
mordimiento por las acciones cometidas. En cambio, Donald R. Larson (*The Honor Plays of Lope de Vega*, Harvard
UP, Cambridge, 1977) rechaza la tesis de May de que el duque de Ferrara sea un tirano, pues lo considera un héroe trágico, frágil pero amado como gobernante y persona, cuya
conversión es sincera y que se enfrenta a una decisión trágica que lo impulsa a actuar con justicia como máxima autoridad de Ferrara. Igualmente, Geraldine C. Nichols («The
Rehabilitation of the Duke of Ferrara», *Journal of Hispanic
Philology*, 1, 1977, pp. 209-230) también rechaza la imagen
del duque de Ferrara presentada por May y Wilson, pues lo
considera como el verdadero héroe trágico al cumplir con su
responsabilidad como gobernante castigando a su hijo a costa de su propia voluntad. Además, considera que el sistema
metafórico empleado por Lope también apunta a una consideración positiva del Duque y una visión negativa tanto de
Casandra como de Federico. Por su parte, Alfonso D'Agos-
tino («Un peccato di fantasia: lettura del «Castigo sin venganza» di Lope de Vega», *Quaderni di letterature iberiche e
iberoamericane*, 3, 1985, pp. 27-59) ofrece un estudio general
del drama y, entre otras agudas observaciones, considera que
la obra se articula en torno a tres problemas fundamentales:

político (la sucesión del ducado), ético (lo justo frente al gusto) y existencial (el conflicto entre razón e imaginación, cuyo conflicto sólo se resuelve a través de la locura). Bruce Wardropper («Civilización y barbarie en *El castigo sin venganza*», en *«El castigo sin venganza» y el teatro de Lope de Vega*, R. Doménech, ed., Cátedra, Madrid, 1987, pp. 193-205) retoma la interpretación moralista de A. A. Parker y analiza la obra como una tragedia cristiana, imbuida de un ambiente neopagano, cuyos protagonistas abandonan progresivamente la fe cristiana debido a una serie de fuerzas antagónicas (la creencia en el hado, la aplicación del código del honor y la aceptación de la libre imaginación), las cuales terminan por sumirlos en la tragedia final. Si bien la inmensa mayoría de los trabajos se centran en las figuras del Duque, Federico y Casandra, Dian Fox («The Grace of Conscience in *El castigo sin venganza*», en *Studies in Honor of Bruce W. Wardropper*, D. Fox, H. Sieber y R. Ter Horst, eds., Juan de la Cuesta, Newark, 1989, pp. 125-134) considera, en cambio, que Aurora y el Marqués son los personajes más culpables de la obra por el deterioro moral que presentan. Por su parte, Bruce Golden («The Authority of Honor in Lope's *El castigo sin venganza*», en *Shakespeare and Dramatic Tradition. Essays in Honor of S. F. Johnson*, W. R. Elton y William B. Long, eds., University of Delaware Press, Newark, 1989, pp. 264-275) insiste en la importancia del honor y considera que la tragedia es un aviso moral de la necesidad de que los mecanismos sociales y personales de control deben funcionar para mantener el equilibrio y evitar el desastre.

Retomando las ideas ya planteadas por May sobre los problemas de interpretación general de la obra por la presencia constante de la ironía trágica se centran dos trabajos: Margaret A. van Antwerp («Fearful Symmetry: The Poetic World of Lope's *El castigo sin venganza*», *Bulletin of Hispanic Studies*, 58, 3, 1981, pp. 205-216) incide en la ironía como elemento central de la tragedia y en la simetría entre los personajes de Federico y el Duque, pues ambos cometen el mismo pecado, y llama la atención sobre cómo el final se construye como una pequeña *misse en abisme* fundada en la confusión entre realidad y ficción. Por su parte, Currie K. Thompson («Unstable Irony in Lope de Vega's *El castigo sin venganza*», *Studies in Philology*, 78, 3, 1981, pp. 224-240) pone de manifiesto las múltiples facetas interpretativas que presentan los protagonistas, aunque considera que el Duque es el personaje central, al que acompañan uno más culpable (Casandra) y otro más inocente (Federico).

Por último, dentro del conjunto de estudio que ofrecen interpretaciones generales de la tragedia, cabe señalar el interés más reciente por abordar *El castigo sin venganza* empleando los recursos interpretativos del psicoanálisis. Destacaremos los trabajos de Viviana Díaz Balsera («Honor, deseo de identidad y fragmentación en *El castigo sin venganza*», *Romance Languages Annual*, 3, 1991, pp. 420-426), quien estudia las rupturas del orden social basado en el honor que llevan a cabo Casandra y Federico, y considera a éste un reflejo especular de su padre; de Joseph V. Ricapito («From Bandello to Freud and Lacan: Lope de Vega's *El castigo sin venganza*», en *Oral Tradition and Hispanic Literature: Essays in Honor of Samuel G. Armistead*, M. Caspi, M. da Costa Fontes e I. Katz, eds., Garland, Nueva York, 1995, pp. 582-602), quien analiza las carencias emocionales que presentan los personajes protagonistas y considera que el *ello* del subconsciente es la verdadera fuerza motriz de la tragedia; y de Theresa Ann Sears («Like Father, Like Son: The Paternal Perverse in Lope's *El castigo sin venganza*», *Bulletin of Hispanic Studies*, 73, 2, 1996, pp. 129-142), quien considera la obra como una representación dramática del poder dominador que la figura paterna encarnada en el Duque ejerce sobre el resto de personajes.

Junto con estos trabajos que abordan *El castigo sin venganza* desde un enfoque general, contamos con diversos estudios que analizan temas o elementos más específicos. Everett Hesse («The Art of Concealment in Lope de Vega's *El castigo sin venganza*», en *Oelschläger Festschrift*, Estudios de

Hispanófila, Daniel Eisenberg *et alii*, eds., University of North Carolina, Chapel Hill, 1976, pp. 203-210, y «The Perversion of Love in Lope de Vega's *El castigo sin venganza*», *Hispania*, 60, 1977, pp. 430-435) amplía en dos trabajos algunas observaciones hechas por May y Wilson sobre la presencia constante en la tragedia del tema del ocultamiento de la realidad que llevan a cabo los diferentes personajes para lograr sus intereses personales, así como sobre la incapacidad que demuestran los protagonistas de comprender la naturaleza del amor verdadero. Por su parte, William M. McCrary («The Duke and the Comedia: Drama and Imitation in Lope's *El castigo sin venganza*», *Journal of Hispanic Philology*, 2, 1978, pp. 203-222) destaca la importancia de los temas del teatro como espejo de la vida y de la vida como teatro, dado que los protagonistas adoptan diferentes papeles a lo largo de la obra de acuerdo con sus intereses. También ha interesado a la crítica el empleo y sentido de las diferentes imágenes y metáforas que se utilizan en *El castigo sin venganza* para caracterizar a los distintos personajes. A las observaciones hechas por Geraldine C. Nichols en su trabajo ya citado hay que añadir el análisis que Janet Horowitz Murray («Lope Through the Looking-Glass: Metaphor and Meaning in *El castigo sin venganza*», *Bulletin of Hispanic Studies*, 56, 1979, pp. 17-29) hace de las imágenes y metáforas que se aplican en la obra a los protagonistas, las cuales reflejan una realidad profunda opuesta a lo afirmado verbalmente por los personajes y ponen así de manifiesto como el conflicto entre apariencia y realidad invade toda la tragedia. David M. Gitlitz («Ironía e imágenes en *El castigo sin venganza*», *Revista de Estudios Hispánicos*, 14, 1, 1980, pp. 19-41) parte de las interpretaciones de la obra realizadas por May y Wilson para mostrar cómo todas las imágenes empleadas por Lope en su tragedia están teñidas de ironía, pues su sentido es corrompido por las acciones de los protagonistas. Para Margit Frenk («Claves metafóricas en *El castigo sin venganza*», *Filología*, 20, 2, 1985, pp. 147-155), el análisis de las metáforas re-

ferentes a animales permite localizar el tema central de la
obra no en el honor, sino en la destrucción del amor que el
Duque siente por su hijo, dado que en dichas imágenes se incide en las relaciones paterno-filiales: para Frenk, la causa de
la racionalización final del Duque y el castigo final que in-
flinge no es la deshonra conyugal, sino la traición del hijo
amado. Por su parte, Frederick A. de Armas («The Silences
of Myth: (Con)fusing Eróstrato/Erasístrato in Lope's *El
castigo sin venganza*», en *Hispanic Essays in Honor of Frank P.
Casa*, A. R. Lauer y H. W. Sullivan, eds., Peter Lang, Nueva York, 1997, pp. 65-75) señala cómo la mayoría de referencias mitológicas presentes en la obra funcionan como vatici-
nios del final trágico que aguarda a los dos amantes, aunque
los protagonistas opten por ignorar el sentido de estos augu-
rios. Las imágenes de contenido mitológico también han
merecido la atención de Robert Ter Horst («"Error pintado": The Oedipal Emblematics of Lope de Vega's *El castigo
sin venganza*», en *«Never-Ending Adventure»: Studies in Medieval and Early Modern Spanish Literature in Honor of Peter
N. Dunn*, E. H. Friedman y H. Sturm, eds., Juan de la Cuesta, Newark, 2002, pp. 279-308), quien las sitúa en el contexto emblemático y artístico de la época, prestando atención al
significado que adquieren en este marco cultural, especialmente en relación con el conflicto paterno-filial.

Por otro lado, algunos trabajos han atendido a cuestiones
de estilo y construcción dramática de *El castigo sin venganza*.
Así, el clásico trabajo de Peter Dunn («Some uses of sonnets
in the plays of Lope de Vega», *Bulletin of Hispanic Studies*, 34,
4, 1957, pp. 213-222) analiza, entre otros, el sentido del soneto
presente en la tragedia de Lope y lo enmarca en el contexto
dramático en el que aparece. Victor Dixon («*El castigo sin venganza*: The Artistry of Lope de Vega», en *Studies in Spanish
Literature of the Golden Age Presented to Edward M. Wilson*,
R. O. Jones, ed., Tamesis, Londres, 1973, pp. 63-81), por su parte, ofrece un agudo examen del alto grado de estilización que
caracteriza la escena entre Federico y Casandra que cierra el

segundo acto de la obra. Un enfoque interesante presenta el trabajo de Vern G. Williamsen («*El castigo sin venganza de Lope de Vega: una tragedia novelesca*», en *La Chispa '83: Selected Proceedings*, Gilbert Paolini, ed., Tulane UP, Nueva Orleans, 1983, pp. 315-325), quien estudia la estructuración dramática de las diferentes escenas que componen la obra, llegando a la conclusión de que Federico es quien lleva el peso de la acción y de los conflictos, por lo que se erige como verdadero protagonista de la tragedia. Siguiendo esta línea de análisis centrada en el estudio de componentes dramáticos de *El castigo sin venganza* se encuentra el trabajo de John E. Varey («*El castigo sin venganza* en las tablas de los corrales de comedias», en «*El castigo sin venganza*» *y el teatro de Lope de Vega*, R. Doménech, ed., Madrid, Cátedra, 1987, pp. 225-239), quien analiza la pieza atendiendo a su desarrollo dramático, así como a los principales motivos escenográficos a los que recurre Lope para conformar los episodios de la obra. Por su parte, Jeremy Lawrance («A Note on Scenic Form in *El castigo sin venganza*», en *The Discerning Eye: Studies Presented to Robert Pring-Mill on His Seventieth Birthday*, N. Griffin, C. Griffin, E. Southworth y C. Thompson, eds., Dolphin Book, Llangrannog, 1994, pp. 57-76) ofrece un detallado estudio de la configuración escénica de la tragedia y la evolución dramática de la acción, estudiando el juego de contraposiciones escénicas que tienen lugar al principio de la obra y mostrando cómo la puesta en escena y el desarrollo dramático contribuyen a crear una situación de caos y engaño, así como una sensación laberíntica, en cuyo centro estaría la pasión prohibida del incesto. También es interesante el estudio de la estructura narrativa y de las funciones que se atribuyen al Duque a partir de un estudio estadístico del número y la naturaleza de las intervenciones de cada personaje principal realizado por Alfredo Hermenegildo, Lola González y Mercedes de los Reyes («El duque de Ferrara y su elaboración dramática en *El castigo sin venganza*, de Lope de Vega», *Anuario Lope de Vega*, I, 1995, pp. 37-58). Por su parte, Cristophe Couderc («"Quedar vacío el tablado": sobre el tiempo y la continuidad de la acción en dos comedias de Lope (*El castigo sin venganza* y *La villana de Getafe*)», en *Similitud y verosimilitud en el teatro del Siglo de Oro. Vraisemblance et ressemblance dans le théâtre du Siècle d'Or. Actes du Colloque de Pau (21 et 22 novembre 2003)*, I. Ibañez, ed., Eunsa, Pamplona, 2005, pp. 89-110) ha estudiado el empleo de efectos de continuidad temporal entre los diferentes cuadros dramáticos en *El castigo sin venganza*, así como la superposición de tiempos durante los apartes.

Los cuentecillos presentes en *El castigo sin venganza* también han llamado la atención de diversos críticos, como Mitchell D. Triwedi («The Source and Meaning of the Pelican Fable in *El castigo sin venganza*», *Modern Language Notes*, 92, 1977, pp. 326-329), quien identifica la fuente de una de las fábulas, y Donald McGrady («Sentido y función de los cuentecillos en *El castigo sin venganza* de Lope», *Bulletin Hispanique*, 85, 1-2, 1984, pp. 45-64), quien estudia la compleja función de los cuentecillos presentes en la obra y defiende la existencia en ellos de distintos niveles de significación, nunca obvios para los propios personajes, los más profundos de los cuales anuncian la acción que está por suceder o subrayan algún aspecto importante del argumento.

Las circunstancias de representación de la obra han interesado a un sector de la crítica desde fechas bien tempranas. Émile Gigas, en su ya citado estudio, vio en causas políticas la razón de que la tragedia apenas se representara. Gerald E. Wade («Lope de Vega's *El castigo sin venganza*: Its Composition and Presentation», *Kentucky Romance Quarterly*, 23, 1976, pp. 357-364) retoma esta hipótesis y considera que la inestable situación política que rodeaba el ducado de Ferrara en el momento de composición de la tragedia pudo ser el motivo de que el estreno de la obra se retrasara durante varios meses. Fundamental resulta el estudio de Juan Manuel Rozas («Texto y contexto en *El castigo sin venganza*», en *«El castigo sin venganza» y el teatro de Lope de Vega*, R. Doménech, ed., Cátedra, Madrid, 1987, pp. 165-190; ahora en Juan Manuel Rozas, *Estudios sobre Lope de Vega*, Cátedra, Madrid, 1990, pp. 355-383), que sitúa la tragedia en el contexto vital y artístico del ciclo *de senectute* de Lope. Defiende Rozas la hipótesis de que en la obra hay una crítica del Fénix a su enemigo literario José de Pellicer y Tovar, y destaca como rasgos fundamentales de una propuesta teatral que busca competir con la nueva generación de dramaturgos la tragicidad creada por el destino ineludible, la profundidad psicológica de los protagonistas y el cuidado estilo, que se manifiesta con la reivindicación del conceptismo cancioneril y el cuidadoso empleo de la métrica de acuerdo con las diferentes situaciones dramáticas. En este marco, para un repaso general al contexto cultural, biográfico y dramático que rodeó la composición, estreno y publicación de la tragedia, véase el trabajo que Antonio Carreño («Las "causas que se silencian": *El castigo sin venganza* de Lope de Vega», *Bulletin of the Comediantes*, 43, 1, 1991, pp. 5-19) dedica a estas cuestiones. También Maria Grazia Profeti («El último Lope», en *La década de oro en la comedia española: 1630-1640. Actas de las XIX Jornadas de teatro clásico. Almagro, julio de* 1996, F. Pedraza Jiménez y R. González Cañal, eds., Universidad de Castilla-La Mancha-Festival de Almagro, Almagro, 1997, pp. 11-39) hace interesantes observaciones sobre la construcción poética de la tragedia en el marco de la dramaturgia del último período de Lope, como la contraposición significativa entre diferentes espacios o el empleo de referencias mitológicas por parte de los protagonistas para expresar lo indecible.

Asimismo, la crítica se ha preocupado por establecer semejanzas y diferencias entre esta obra de Lope y el modelo calderoniano de tragedia. Así, Gwynne Edwards («Lope and Calderón: The Tragic Pattern of *El castigo sin venganza*», *Bulletin of the Comediantes*, 33, 2, 1981, pp. 107-120) plantea similitudes entre la propuesta trágica de Lope en *El castigo sin venganza* y la que realiza Calderón en sus tragedias, concretamente por la existencia de fuerzas exteriores al individuo que afectan su devenir y el uso de símbolos como el laberinto o la prisión. En cambio, Marc Vitse («Notas sobre la tragedia áurea», *Criticón*, 23, 1983, pp. 15-33) considera que el conflicto de *El castigo sin venganza* gira en torno a los temas de amor y poder, y que concluye con una mejora individual por parte del Duque, frente al enaltecimiento de la figura del hijo que tiene lugar en la generación de Calderón. Domingo Ynduráin («*El castigo sin venganza* como género literario», en «*El castigo sin venganza*» *y el teatro de Lope de Vega*, Ricardo Doménech, ed., Madrid: Cátedra, 1987, pp. 141-161; recogido ahora en su libro *Estudios sobre Renacimiento y Barroco*, Cátedra, Madrid, 2006, pp. 157-178) aborda la obra considerando que la propuesta trágica de Lope es una respuesta a la tragedia italianizante de Calderón, que actualiza elementos dramáticos clásicos y ofrece un final basado no en la venganza por el deshonor femenino, sino en el castigo filial por su traición. También en relación con el género de la obra y su configuración dramática cabe destacar el reciente estudio de Cristophe Couderc («Guardando respeto a Aristóteles: en torno a los versos tachados por Lope al final de *El castigo sin venganza*», en *El Siglo de Oro en escena. Homenaje a Marc Vitse*, O. Gorsse y F. Serralta, eds., PUM/Consejería de Educación de la Embajada de España en Francia, Toulouse, 2006, pp. 227-234), quien considera que Lope no rechaza el paradigma aristotélico en la elaboración de su tragedia, ya que la escena final se ajusta a los postulados trágicos del estagirita, y propone la hipótesis de que el Fénix desechó la primera redacción del final precisamente para ajustar la obra al concepto clásico de patetismo.

Por último, cabe destacar las numerosas ediciones de las que ha disfrutado *El castigo sin venganza*, sin duda una de las obras dramáticas del Fénix que más atención ha merecido en el panorama editorial moderno desde que Cerdá y Rico la incluyera en su *Colección de obras sueltas* de Lope, aparecida en el último cuarto del siglo XVIII. Entre estas ediciones se encuentran diversas que, por sus características, no pueden ser consideradas ediciones filológicas, pero también contamos con varias ediciones que han contribuido enormemente al estudio y comprensión de la obra gracias a su trabajo crítico sobre el texto y su anotación. Entre estas últimas caben destacar las ediciones de Adolfo van Dam y de David Kossoff, ya mencionadas en esta nota bibliográfica, así como las ediciones de José María Díez Borque aparecida en Espasa-Calpe, la de Antonio Carreño en Cátedra y la de Felipe B. Pedraza Jiménez en Octaedro, sin olvidar la realizada por C. A. Jones para la editorial Pergamon, muy empleada en el ámbito académico anglosajón.

Seguidamente ofrecemos al lector una selección de pasajes entresacados de la bibliografía crítica arriba citada con la intención de mostrar algunos ejemplos concretos de los diversos acercamientos que hasta la fecha ha merecido esta tragedia del Fénix. En este sentido, los dos primeros fragmentos corresponden a sendos trabajos clásicos que han servido de punto de partida para el resto de investigadores que han estudiado la obra. El primer texto nos muestra la caracterización negativa del duque de Ferrara que se deriva de la interpretación de la obra por T. E. May («Lope de Vega's *El castigo sin venganza*: The Idolatry of the Duque de Ferrara», pp. 168-169). El segundo texto proviene del artículo de Edward M. Wilson («Cuando Lope quiere, quiere», pp. 284 y 295) y en él puede verse la importancia que dicho investigador también concede a la figura del Duque en cuanto héroe trágico de la obra, aunque con una presentación más equilibrada que la de May. El tercer texto, de Jeremy Lawrance («A Note on Scenic Form in *El castigo sin venganza*», pp. 72-73), es un ejemplo de análisis que atiende no sólo al contenido textual, sino también a la forma escénica que presenta la acción. El cuarto texto, de Juan Manuel Rozas («Texto y contexto en *El castigo sin venganza*», pp. 182-190), atiende a los rasgos específicos de la dramaturgia que presenta la obra en relación con el resto de la creación de Lope y los enmarca en el contexto de competencia del Fénix con otros dramaturgos más jóvenes. El último texto, de Donald McGrady («Sentido y función de los cuentecillos en *El castigo sin venganza* de Lope», pp. 46-47 y 58-59), atiende a un elemento específico de la obra, los cuentecillos que en diversos momentos relatan diferentes personajes de la obra, destacando la complejidad significativa que presentan y cómo engarzan en el sentido general de la acción. En los casos de los textos cuyo idioma original no es el español, hemos procedido a traducir los pasajes aquí recogidos.

En todos los tratos del Duque con otras personas encontramos una normalidad que se invierte en algún momento crucial como resultado del orgullo − de amor propio en su sentido más puro y profundo ... Este magistrado no es un magistrado jus-to. De forma similar, reclama la autoridad legítima como padre y también reivindica que la relación paterno-filial trasciende todos los cálculos ordinarios de justicia, como de hecho debería suceder, pero precisamente en un sentido erróneo, pues hace que esta relación se oponga a la ley de la conciencia en su hijo, de forma que polariza la relación completamente en torno sí mismo. Lo mismo sucede con su relación con Dios. Al matar Federico a Casandra y al admirar el Marqués de Mantua la rápida justicia del Duque, ambos están postrándose ante un ídolo, pero estos ciegos idólatras son sólo ondas alejándose de una idolatría central en la cual el Duque adora a un dios hecho a su imagen y semejanza. La idolatría nace del único amor verdadero del Duque. Cuando trata con su hijo o su mujer, el Duque aparece como una mera figura de avaricia y poder ... En el Duque el ser ha intentado comenzar a llenar el universo y el otro al que busca no puede ser más que un ser fuera de su propio ser, una imagen de sí mismo en la mente de las otras personas. Cuando cae en la cuenta de que esta imagen no es en realidad una imagen digna de admiración, se trastorna y se lanza a renovarla mejorando su comportamiento externo. Pero cuando la imagen es amenazada por su condición de cornudo y la voz de la conciencia, que es la voz de Dios que habla a través de la Naturaleza, comienza una lucha trágica para establecer firmemente su imagen tanto delante de Dios como de los hombres. Para conseguirlo falsifica la idea de Dios. En otras palabras, la ilusión fundamental del Duque es que el hombre puede justificarse a sí mismo; y por «justificar» se entiende no sólo una mera apología, sino un intento activo por establecer lo que es justo. Esta ilusión le obliga al final a falsificar legalmente un castigo para ocultar su venganza y así preservar indemnes en la medida de lo posible su propia dignidad y rectitud, al mismo tiempo que, pues sabe que esta falsedad será evidente para el Cielo, pide a éste que vea en ello su propio funcionamiento misterioso —*no más de vuestro castigo*— y, por consiguiente, vea en él a un servidor suyo. Pero la ilusión está presente al principio mismo y se elabora en diferentes niveles de forma consistente desde el comienzo de la obra.

T. E. MAY

El Duque es un hombre que vive en el pasado. Lleva una vida licenciosa antes y después del matrimonio. No toma en consideración el hecho de que su matrimonio incluye nuevas responsabilidades, y que cuando continúa su vida disoluta compromete su propio honor a la vez que insulta a su esposa. Tiene algún sentido del deber público; quiere que su estado esté bien gobernado; está ansioso de hacer todo el bien a Federico y a Aurora, pero nunca se da cuenta que sus vicios son deshonestos y su vida está entregada al pecado...

El Duque intenta separar el castigo de la venganza, pero no puede hacerlo. A pesar de sus buenas intenciones no puede separar el uno del otro. Esta ambigüedad en la cabeza del Duque, que conduce a la catástrofe final, no es un reproche para la obra. Si él hubiera actuado como un juez lleno de razón o como un vulgar esposo vengativo, no podríamos haber visto tan claramente las consecuencias de sus pecados previos y de su pública conversión.

El Duque pierde casi todo lo que él estimó. Casó a causa de evitar a sus vasallos a su muerte una guerra de sucesión. Casandra no le ha dado hijos, y él ha matado a Federico. Volvió de la guerra determinado a seguir una honesta vida marital, y ahora su matrimonio ha terminado. Federico ha sido su principal alegría mientras vivió, y Federico está muerto, sin honra, y debe ser olvidado. Aurora, casi seguramente, marchará a Mantua con Gonzaga y Batín. El Duque queda con Ricardo, Floro, Febo y los demás para sacar el consuelo que pueda de las ruinas de su vida. La única victoria que ha conseguido es haber mantenido la justicia y haber ocultado su deshonor marital a sus súbditos, pero ¡a qué precio! Le queda poco donde volver los ojos con placer, nada en el futuro, excepto, tal vez, más éxitos militares en las guerras del Papa. Si la tragedia necesita un héroe trágico, el Duque es el héroe de esta obra; su fragilidad trágica estriba en no darse cuenta de que, como hombre casado, no podía continuar viviendo la vida de un galanteador licencioso. Un dramaturgo isabelino le habría hecho suicidarse al final del drama; Lope le permite vivir, desilusionado, y con un secreto que no se puede comunicar.

Edward M. Wilson

¿Qué significa estéticamente este especial canto de cisne que es *El castigo sin venganza*, sin parangón entre sus obras de vejez? Creo que es el manifiesto práctico y preciso contra esos nuevos dramaturgos y en especial contra Calderón, así como el manifiesto teórico es la *Epístola a Claudio* ... Los tres rasgos distintivos de la estética de la obra, en comparación con el grueso del teatro de Lope, son: su perseguida tragicidad, la autodefinición de los personajes y su especificidad en su elocución y métrica.

La tragicidad se muestra en la coherencia con que cada personaje vive su destino, sin concesiones esta vez por parte de Lope, sino al contrario, buscándola desde el planteamiento y yendo más allá en este aspecto que la fuente, en contra de lo que acostumbraba a hacer el autor ... Toda la obra es una sucesión de soliloquios reales, o enmascarados en confidencias con Batín y Lucrecia, más la secuencia de los tres encuentros de los enamorados, que van enredándolos en su tragedia ... intensidad sicológica y autodefinición de los personajes, un tanto alejada del estilo propio de Lope ... Lo que predomina en la obra es el recuerdo del conceptismo del estilo de los cancioneros, ya de forma directa, ya dentro de la evolución de lo que Rosales ha llamado la lírica amorosa cortesana del XVII, procedente de Garcilaso y Camoens, dos pancartas de Lope contra Góngora en los años de vejez ... El Fénix es consciente de los adelantos del metro y del estilo italianos, pero su corazón no deja de estar con los cancioneros antiguos, a los que siempre defiende. Su estética trata de aunar el concepto italiano con el concepto tradicional ... Este monumento al Cancionero y al concepto que es *El castigo sin venganza* es coherente con el pensamiento de Lope, y también con su estrategia de *senectute* en una obra donde ... trata de mostrar que en la vejez puede con las nuevas tendencias de los dramaturgos jóvenes, buscando la verdadera raíz de la poesía nacional, como lo era su teatro, a la que él creía que Góngora era traidor.

Juan Manuel Rozas

Basta decir que la forma escénica única de los dos [últimos] actos, con sus constantes entretejes de salidas y entradas, se ha convertido en una especie de complicada charada: grupos de personajes se mezclan y disuelven, ignorándose los unos a los otros, escuchándose los unos a los otros, actuando los unos para los otros, espiándose los unos para los otros, luchando y mintiendo y conspirando los unos con los otros ... Los monólogos confesionales son vitales para el efecto: yuxtapuestos a las complejas pantomimas de las escenas de unión, sirven para manifestar el tema del engaño por medio del contraste entre emociones públicas y privadas. Esto es, pues, la corte: una elaborada y adornada farsa de confusiones, mentiras y traiciones.

Pero el hecho de que todo esto suceda en una única sala añade otra dimensión vital que nos hace avanzar respecto a la atmósfera del Acto I. No es casualidad que Casandra determine el tono justo al principio del Acto II al comparar la depresiva y cerrada atmósfera de palacio con la despreocupada sinceridad de la casa de un labrador ... Al abolir toda división escénica en los dos últimos actos, Lope ha creado una notable metáfora dramática de la claustrofobia, un teatral laberinto cretense. ¿Y qué es el Minotauro que merodea en su centro? La respuesta de May fue que el monstruo es el Duque, pero la forma escénica de la comedia ... sugiere de forma más poderosa que no es una persona sola, sino un terrible secreto que atrapa en sus garras a todos los personajes: la indecible pasión del incesto.

Jeremy Lawrance

El uso del cuentecillo en *El castigo sin venganza* adquiere una profundidad de intención que no recordamos haber presenciado en otras comedias del Siglo de Oro. De las ocho historietas que aparecen en el drama ... dos son referidas por los futuros adúlteros, y las seis restantes figuran en boca de Batín, el criado de Federico. Lo curioso del caso es que todas estas historietas parecen tener un solo nivel de significado, pero en realidad todas ellas encierran un doble sentido...

Resumiendo, entonces, vale decir que todos los cuentecillos intercalados en *El castigo sin venganza* tienen al menos dos niveles de significado —uno más o menos literal, y el otro más profundo. El único sentido apreciado por los personajes —sean los mismos contadores de las historietas, sean sus escuchantes— es el aparente, no el recóndito. Como el significado más hondo está reservado únicamente para la comprensión del espectador, resulta que se trata de un tipo de ironía dramática según la cual los personajes sirven como interlocutores para comunicar al público ideas que ellos mismos no entienden.

Ya hemos constatado que el sentido profundo de los cuentos cumple una de dos funciones: 1) prefigurar la acción futura del drama, o 2) subrayar algún aspecto importante del argumento. Así, los primeros relatos ponen de relieve que Federico y Casandra han de consumar su pasión ilícita ... por lo cual han de sufrir un castigo terrible ... luego se alude a cómo Federico ha olvidado a Aurora, al igual que el Duque a Casandra ... por último, los cuentecillos finales vuelven a recalcar la lascivia de Casandra ... Salta a la vista, pues, que todas las narraciones interpoladas giran alrededor del adulterio de Federico y Casandra, el cual constituye el conflicto central del drama.

DONALD McGRADY

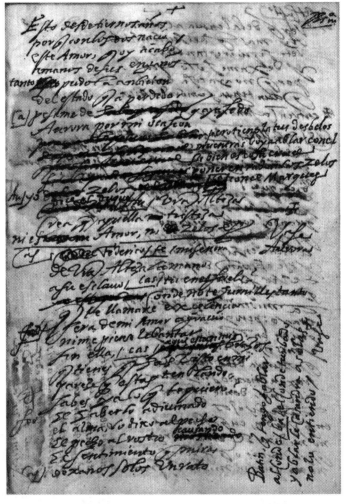

Folio 5v del segundo acto del manuscrito autógrafo de
El castigo sin venganza, *con correcciones y añadidos del propio Lope.*

EL TEXTO

Testimonios antiguos

Tenemos la fortuna de contar con el manuscrito autógrafo de *El castigo sin venganza*, firmado y rubricado por Lope de Vega en Madrid el 1 de agosto de 1631, el cual se conserva hoy en día en la Boston Public Library. Como otros manuscritos originales de Lope, incluye numerosas correcciones, tachaduras y añadidos de mano del poeta, que permiten seguir su proceso creador: el autógrafo presenta, por ejemplo, versos pulidos por Lope durante la revisión de su texto, pasajes ampliados poco después de ser escritos e incluso un final alternativo, con algunos cambios importantes respecto a la versión definitiva por la que se decantaría el Fénix (por ejemplo, no se muestran en escena los cadáveres de Federico y Casandra). Este original fue el texto empleado por el autor de comedias Manuel Vallejo para estrenar la obra en la primavera de 1632, como muestra el reparto de actores que figura junto con el elenco de personajes del primer acto. La tragedia fue publicada por primera vez en 1634, dos años después de su estreno en Madrid. Dado que entonces todavía estaba en vigor la prohibición de publicar novelas y comedias en el reino de Castilla que se había promulgado en 1625, Lope de Vega recurrió a la imprenta barcelonesa de Pedro Lacavallería para poder imprimir su drama, el cual apareció en forma de suelta en el otoño de 1634. Ésta fue una edición plenamente autorizada por el dramaturgo madrileño, quien dedicó la tragedia a su mecenas y protector, el duque de Sessa, e incorporó un breve prólogo al lector en el que, entre otras cuestiones, denunciaba la piratería editorial que sufrían sus obras teatrales por culpa de impresores sin escrúpulos. En la primavera de 1635, tras levantarse la prohibición de imprimir novelas y comedias en Castilla, Lope de Vega preparó dos nuevas *partes de comedias* (las *Partes XXI* y *XXII* de la serie iniciada en 1604) y obtuvo los permisos necesarios para su

EL CASTIGO,
SIN VENGANZA,
TRAGEDIA

DE FREY LOPE FELIX DE VEGA CARPIO
del habito de San Iuan, Procurador Fiscal de la Camara
Apoſtolica del Arçobiſpado de Toledo.

AL EXCELENTISSIMO SEÑOR DON LVIS FERNANDEZ
de Corduua, Cardona y Aragon; Duque de Seſſa, de Vaena, y de Soma; Conde de
Cabra, Palamos, y Oliuito; Viſconde de Ynajar; Señor de las Baronias de Bel-
puche, Liñola, y Calonge; Gran Almirante de Napoles, y Capitan General
del mar de aquel Reyno, y Comendador de Bedmar y Albamchez,
de la Orden y Caualleria de Santiago, &c.

Año 1634.

Con licencia, En Barcelona, por PEDRO LACAVALLERIA, junto la Libreria.

Portada de la suelta publicada en 1634.

publicación. *El castigo sin venganza* fue incluido, sin la dedi-catoria o prólogo de la suelta barcelonesa, en la *Veinte y una parte verdadera de las comedias del Fénix de España*, sufragada por el librero Diego Logroño y publicada en Madrid en la imprenta de la viuda de Alonso Martín. Lope no llegaría a ver impresa esta edición, que saldría a la venta unas semanas después de su muerte, acaecida en agosto de 1635. *El castigo sin venganza* volvió a merecer en el siglo XVII una edición en 1647, cuando fue incluida en la segunda parte de la colección miscelánea titulada *Doce comedias, las más grandiosas que has-ta ahora han salido*, publicada en Lisboa por el impresor Pa-blo Craesbeeck. El texto de esta edición portuguesa deriva directamente de la *Parte XXI*, aunque enmienda algunas erratas evidentes a la vez que introduce algunas nuevas. Un rasgo exclusivo a esta edición es la presencia de un elocuen-te subtítulo, *Cuando Lope quiere, quiere*, que revela el recono-cimiento de la importancia de esta obra en la producción dramática del Fénix por parte de alguno de los agentes im-plicados en esta edición. A parte de las ediciones reseñadas hasta el momento, Hermann Tiemann dio a conocer en 1939 la existencia de una suelta de este drama conservada en la Staatsbibliothek de Berlín, la cual llevaba por título *Un cas-tigo sin venganza, que es cuando Lope quiere*. Tiemann fechó tentativamente esta suelta hacia 1635 y dedujo, a partir del cotejo de variantes, que no derivaba de ninguna de las edi-ciones existentes, dado que incluía un verso (v. 244) ausente en todas ellas; en cambio, mostraba tanto puntos en común como divergencias con el autógrafo. Esta suelta está actual-mente perdida (posiblemente fue destruida durante la Se-gunda Guerra Mundial) y sólo contamos con la reproduc-ción fotostática de la primera página que Tiemann incluyó en la monografía donde dio a conocer su existencia. David Kossoff, por su parte, indicó en su edición de la obra que el profesor Fichter había llegado a examinar esta suelta antes de que se perdiera y que había concluido que su fecha de pu-blicación era posterior a la propuesta en su día por Tiemann debido a sus características ortográficas y tipográficas, aunque sin ofrecer más detalles. El hecho de que incorporase en la portada el subtítulo *Que es cuando Lope quiere* induce a pensar que pudo estar relacionada de alguna manera con la edición lisboeta de 1647.

Por último, contamos con una copia manuscrita no autógrafa de la comedia, sin fecha, aunque probablemente de la segunda mitad del siglo XVII, conservada actualmente en Melbury House (Reino Unido) y proveniente de la colección de comedias de Lord Holland. El interés de este manuscrito radica en el hecho de que presenta un texto que no deriva de los impresos, sino directamente del autógrafo, pues recoge lecturas exclusivas del original y, lo que es más interesante, la primera versión del final de la obra que fue posteriormente desechada por Lope. A su vez, esta copia incorpora nuevas lecturas y errores propios, tanto en el texto como en las acotaciones.

La presente edición

Para la fijación del texto de la presente edición he procedido a realizar un minucioso cotejo de los testimonios antiguos conocidos, tanto manuscritos como impresos. El resultado de este cotejo me ha llevado a utilizar como texto base el original autógrafo, consultado a partir de una reproducción digital realizada por la Boston Public Library. Pese a que tanto la suelta de Barcelona como la *Parte XXI* son ediciones autorizadas por Lope, es poco probable que el dramaturgo revisara el texto a conciencia para su publicación. El cotejo atento de las variantes que presentan estos testimonios revela que tanto el texto de la suelta de Barcelona como el de la *Parte XXI* derivan de una misma copia manuscrita derivada directamente del autógrafo, la cual actualmente no se conserva. Aunque este testimonio intermedio entre el autógrafo y las ediciones impresas tal vez pudo merecer alguna revisión por parte del Fénix, su reconstrucción a partir del cotejo de las variantes que presentan la suelta y la *parte* revela que no sólo no mejora el texto del autógrafo, sino que ofrece peores lecturas y llega a eliminar algunos versos, bien por descuido (como parece que sucede en el caso del v. 244), bien por intervención de alguien ajeno al Fénix (como sucedió con el pasaje que comprende los vv. 2026-2030). A ello se une la dificultad que existe en muchos casos para discernir la paternidad de variantes comunes a los impresos respecto al autógrafo, pues en una mayoría de ocasiones es evidente que no son imputables al propio Lope por tratarse de malas lecturas. Por ello, sigo las lecturas del manuscrito autógrafo corrigiendo los errores evidentes e indicando en nota sólo unos pocos casos en los que los citados testimonios impresos presentan divergencias importantes respecto al original. De entre estos casos, tan sólo en una ocasión (v. 1002) opto por la variante que presentan los testimonios impresos por los motivos expuestos allí en nota.

De acuerdo con los criterios generales de la colección Clásicos y Modernos, presento el texto con la ortografía modernizada. Tan sólo mantengo las particularidades gráficas del autógrafo en los casos en los que suponen una variación fonética: así, mantengo las oscilaciones en los grupos consonánticos cultos *-ct/t, -pt/t, -cc-/-c-* (delante de *e, i*) y *es-/ex-*; las vacilaciones en el timbre de las vocales átonas (*tiniendo*), la asimilación de la *-r* del infinitivo delante de pronombres personales (*favorecellas*), la contracción de la preposición *de* con los pronombres o adjetivos demostrativos (*deste, dese, della, dél*, etc.) y la metátesis en imperativos (*dejalde*). Asimismo, y dado que tanto el original como las ediciones antiguas presentan una puntuación errática, he procedido a puntuar el texto siguiendo mi criterio editor, de acuerdo con las reglas académicas actuales y con el objetivo de esclarecer al máximo su sentido. También he sangrado el primer verso de cada estrofa para facilitar al lector la percepción de los cambios del ritmo poético de los parlamentos de los personajes.

Por otro lado, señalo los apartes del texto con paréntesis. Su inclusión se basa en los apartes que marcan los testimonios antiguos (tanto el autógrafo como los impresos) y, en algún caso, a mi criterio editor. Respecto a las acotaciones, diferenciadas del texto con cursiva, incorporo no sólo las presentes en el autógrafo, sino también algunas incluidas en la suelta barcelonesa o la *parte* madrileña que permiten entender el movimiento de los personajes en escena o que aclaran algún aspecto de la acción que se representa.

Por último, declaro aquí mi deuda con la labor de anotación y clarificación del texto que han realizado quienes me han precedido en la tarea de editar este drama, en particular C. A. Jones, David Kossoff, José María Díez Borque, Antonio Carreño y Felipe B. Pedraza Jiménez en sus ya citadas ediciones. Los comentarios en sus ediciones han supuesto un punto de partida imprescindible para la redacción de mis propias notas, destinadas, en la medida de mis posibilidades, a aclarar al lector cualquier término o pasaje oscuro de la obra y a facilitar la comprensión de los diversos elementos dramáticos que componen la acción.

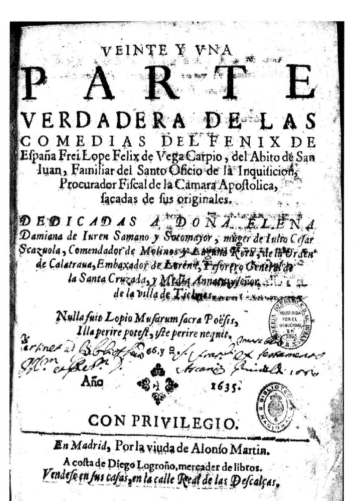

VEINTE Y VNA

PARTE

VERDADERA DE LAS
COMEDIAS DEL FENIX DE
España Frei Lope Felix de Vega Carpio, del Abito de San
Iuan, Familiar del Santo Oficio de la Inquisicion,
Procurador Fiscal de la Cámara Apostolica,
sacadas de sus originales.

DEDICADAS A DOÑA ELENA
Damiana de Iuren Samano y Sotomayor, muger de Iulio Cesar
Scazuola, Comendador de Molinos y Laguna Rota, de la Orden
de Calatraua, Embaxador de Lorent, Tesorero General de
la Santa Cruzada, y Media Annata, señor
de la villa de Tielmes.

Nulla fuit Lopio Musarum sacra Poësis,
Illa perire potest, iste perire nequit.

Año   ✠   1635.

CON PRIVILEGIO.

En Madrid, Por la viuda de Alonso Martín.
A costa de Diego Logroño, mercader de libros.
Vendese en sus casas, en la calle Real de las Descalças.

Portada de la Parte Veinte y Una, *publicada en 1635, que incluye*
El castigo sin venganza.

EL CASTIGO SIN VENGANZA[1]

TRAGEDIA[2]

1. Tanto la dedicatoria como el prólogo que siguen se incluyeron únicamente en la edición suelta de *El castigo sin venganza* publicada en Barcelona en 1634. 2. Pocas veces denominó Lope de Vega sus obras dramáticas expresamente como *tragedias*, dado que su propuesta teatral abogaba principalmente por la comedia pura o por la mezcla de elementos cómicos y serios. En este caso, el carácter histórico de la acción, la intensidad de las emociones humanas que se representan, la nobleza de los protagonistas y el final funesto son los principales elementos que llevaron al Fénix de los Ingenios a calificar de *tragedia* a esta obra. Lope dedicará unas palabras respecto al género de esta obra al final del prólogo que sigue a la dedicatoria.

AL EXCELENTÍSIMO SEÑOR DUQUE DE SESSA, MI SEÑOR[3]

Desigual atrevimiento parece dedicar a Vuestra Excelencia esta tragedia, cuando fuera más justo poemas heroicos,[4] de quien[5] fueran argumento las gloriosas hazañas de sus progenitores invictísimos,[6] que dieron a la corona de España tantos reinos, a las plumas tantas historias, a la fama tantos triunfos y a las armas insignes de su apellido tantas banderas,[7] de que son fieles testigos reyes infieles y alguno que, preso,

3. Don Luis Fernández de Córdoba Cardona y Aragón, sexto duque de Sessa, fue amigo y protector de Lope de Vega durante treinta años, a cuyo servicio estuvo el dramaturgo madrileño en calidad de secretario personal, confidente y cómplice de amoríos. En la portada de la suelta barcelonesa no sólo se indica que la obra está dedicada al duque de Sessa, sino que se incluye también un grabado con su escudo de armas, al que Lope se referirá a continuación. La dedicatoria, en cuanto género laudatorio, está destinada a elogiar a la persona a la que se dedica la obra y, en este caso, también a agradecer los favores recibidos. 4. Esta afirmación de Lope se basa en la idea de la época de que los distintos géneros literarios estaban jerarquizados de acuerdo con su estimación literaria y social. Dentro de esta escala, el teatro ocupaba un lugar inferior respecto a la poesía heroica o épica, la cual se consideraba un género noble y, por consiguiente, más merecedora de ser dedicada a un duque. Este aparente desinterés del Fénix por dignificar su teatro en relación con otros géneros literarios se repite en otras dedicatorias que acompañan otras comedias que publicó, pero responde a un tópico de *humilitas* propio de los exordios: el de la obra indigna de ser dedicada a un mecenas poderoso. 5. *quien*: 'quienes', de acuerdo con el sentido plural que podía tener esta forma del pronombre en el siglo XVII. Aparece con este uso en diversos lugares de esta obra. 6. El mecenas de Lope contaba con ilustres antecesores que habían logrado fama en distintas batallas (de ahí que sean presentados elogiosamente por Lope como *invictísimos*, es decir, sin haber conocido la derrota en la guerra), entre ellos el célebre Gonzalo Fernández de Córdoba, conocido como «el Gran Capitán». 7. Se refiere Lope a las veintidós banderas que rodean el escudo de armas familiar de su mecenas (las *armas insignes de su apellido*) y que representan las victorias logradas por sus antecesores.

ocupa (con honra suya) un cuartel de ellas entre los Córdo-
bas, Cardonas y Aragones,[8] ilustrísimos por inmortal memoria en tantos siglos y por sangre generosa en tantos reinos.[9]
Mas como suele el que cultiva flores enviar al dueño del jardín algunas como en reconocimiento de que son suyas las que
quedan, así, yo me atrevo a enviar a Vuestra Excelencia las de
este asunto,[10] indicio de que reconocen las demás que de todas es señor, como del que las cultiva. En los amigos, los presentes son amor; en los amantes, cuidado;[11] en los pretendientes, cohecho;[12] en los obligados, agradecimiento;[13] en los
señores, favor; en los criados, servicio. Éste no va a solicitar
mercedes,[14] sino a reconocer obligaciones de tantas como he
recebido de sus liberales manos en tantos años que ha que
vivo escrito en el número de los criados de su casa.[15] Guarde
Nuestro Señor a Vuestra Excelencia como deseo.

Frey Lope Félix de Vega Carpio[16]

8. De nuevo alude el Fénix al escudo de armas del duque de Sessa, en el que aparece, dentro de un campo de plata, la figura del rey moro Boabdil el Chico (el *rey
infiel preso* que *ocupa un cuartel* del escudo de armas) con una cadena al cuello y
rodeado, entre otros, por los blasones de los linajes de los Córdoba, los Cardona
y los Aragones. 9. *sangre generosa*: 'sangre excelente, noble, de origen ilustre'.
10. *las de este asunto*: 'las flores de este asunto', por elipsis. Es decir, Lope dedica
a su mecenas esta obra de entre las que tiene escritas, al igual que si le ofreciera
una de las flores de su jardín. La comparación de las obras literarias con flores de
un jardín cultivado constituye un tópico retórico empleado por Lope en diversos
lugares de su producción. 11. *cuidado*: 'atención amorosa'. 12. *pretendientes*: 'las
personas que aspiran a un cargo público'; *cohecho*: 'soborno'. 13. *obligados*: 'personas que han contraído algún tipo de deuda'. 14. *Éste*: 'Este servicio', es decir,
la obra que Lope dedica a su señor. 15. *recebido*: 'recibido', por vacilación de la
vocal pretónica; *en tantos años que ha que vivo*: 'durante tantos años que hace que
vivo'; *escrito*: 'inscrito'. Pese a lo indicado aquí por Lope y al hecho de que estuvo
al servicio del duque de Sessa durante tres décadas, parece que el Fénix nunca
llegó a figurar expresamente en los libros de cuentas de su mecenas como miem-
bro asalariado de su casa. 16. *Frey* es el tratamiento honorífico que reciben los
religiosos de las órdenes militares. Lope, que disfrutó de este privilegio tras obtener en 1627 el hábito de la Orden de San Juan de Jerusalén como regalo del Papa
Urbano VIII por haberle dedicado su obra *La corona trágica*, se había ordenado
sacerdote el 24 de mayo de 1614. Pese a las obligaciones de su condición religiosa (decía misa a diario, por ejemplo, en su oratorio particular o en la iglesia de San
Sebastián de Madrid), nada le impidió llevar una vida más propia de laico.

EL PRÓLOGO

Señor lector, esta tragedia se hizo en la Corte sólo un día por causas que a Vuestra Merced le importan poco.[17] Dejó entonces tantos deseosos de verla que los he querido satisfacer con imprimirla.[18] Su historia estuvo escrita en lengua latina, francesa, alemana, toscana y castellana:[19] esto fue prosa, agora sale en verso.[20] Vuestra Merced la lea por mía, porque no es impresa en Sevilla, cuyos libreros, atendiendo a la ganan-

17. Esta enigmática alusión de Lope a que su tragedia fue representada sólo una vez en Madrid (*la Corte*) ha llevado a parte de la crítica a preguntarse por la naturaleza de esas *causas que a Vuestra Merced le importan poco*. Aunque se han propuesto razones de censura o de presiones por parte de los enemigos del Fénix, lo cierto es que carecemos de noticias que aclaren definitivamente esta cuestión. En última instancia, la afirmación de Lope es muestra de la sensación de desánimo por la falta de reconocimiento público que expresó en diversas ocasiones durante los años finales de su vida. 18. Aunque durante varios años Lope fue reacio a publicar sus obras dramáticas, desde 1617 el Fénix había abrazado con fervor la imprenta como un medio legítimo para difundir su teatro. De ahí que se decidiera a publicar *El castigo sin venganza* apenas dos años después de que se estrenara, tras el limitado éxito que había tenido en los teatros madrileños. El hecho de que esta tragedia se publicara en forma de suelta (frente al formato más corriente de volúmenes adocenados de comedias) en Barcelona respondía a la necesidad de eludir la prohibición de publicar obras teatrales entonces vigente en el reino de Castilla. En este prólogo el Fénix justifica retóricamente su decisión de dar su obra a la imprenta a partir de una variante de otro tópico propio de los exordios: el de dar a conocer una obra por requerimiento de sus amigos o conocidos. 19. Lope se refiere aquí a diversas traducciones existentes de la historia que dramatiza en su obra. Sin embargo, no se conocen versiones en alemán y latín de la historia de Matteo Bandello que inspiró al dramaturgo madrileño, por lo que es posible que esta última sea una referencia indirecta a la historia de los amores incestuosos entre Fedra e Hipólito, que Lope conoció por la tragedia de Séneca *Hipólito*. 20. *agora*: variante etimológica del adverbio 'ahora' (derivada del latín *hac hora*), empleada

cia, barajan los nombres de los poetas, y a unos dan sietes y a otros sotas; que hay hombres que por dinero no reparan en el honor ajeno, que a vueltas de sus mal impresos libros venden y compran;[21] advirtiendo que está escrita al estilo español, no por la antigüedad griega y severidad latina, huyendo de las sombras, nuncios y coros, porque el gusto puede mudar los preceptos, como el uso los trajes y el tiempo las costumbres.[22]

recurrentemente a lo largo de esta obra (véanse como ejemplo los vv. 94, 214 o 235) y que Lope alterna en otros lugares de su producción con la forma, más moderna, de *ahora*; *en verso*: es decir, en forma de obra teatral o poesía dramática. Lope reivindica ser el primero en dramatizar los amores adúlteros e incestuosos que tuvieron lugar en Ferrara. **21.** Lope ataca aquí a los libreros sevillanos que publicaban obras teatrales atribuyéndolas a unos dramaturgos u otros sin criterio (y con desigual suerte para los poetas, pues *a unos dan sietes y a otros sotas*: en los juegos de naipes los *sietes* tenían gran valor, mientras que las *sotas* eran cartas ínfimas), motivados sólo por sus intereses comerciales (*atendiendo a la ganancia*) y sin preocuparse por atribuir las obras a quienes realmente las habían escrito. Según el Fénix, dicha práctica era extremadamente perjudicial porque estos libreros, al mismo tiempo que vendían ediciones hechas a partir de textos deturpados (*a vueltas de sus mal impresos libros*), estaban haciendo negocio con su fama (*el honor ajeno ... venden y compran*), atribuyéndole obras de mala calidad para vender más y, por consiguiente, dañando su reputación como dramaturgo (*no reparan en el honor ajeno*). **22.** Lope concluye su prólogo con un alegato a favor de una poética moderna de la tragedia al indicar que *El castigo sin venganza* responde a las características del teatro español coetáneo (*está escrita en estilo español*) y no a unas convenciones formales clasicistas (*los preceptos*) que no tienen cabida en la escena española del siglo XVII (por ejemplo, *las sombras, nuncios* ('heraldos, mensajeros') *y coros* característicos de las tragedias grecolatinas).

EL DUQUE DE FERRARA*
EL CONDE FEDERICO
ALBANO
RUTILIO
FLORO
LUCINDO
EL MARQUÉS GONZAGA
CASANDRA
AURORA
LUCRECIA
BATÍN
CINTIA
FEBO
RICARDO

* Dadas las divergencias que presentan los diferentes testimonios de la obra en la configuración del elenco de personajes (el manuscrito autógrafo presenta elencos parciales para cada acto, los impresos incorporan sólo en algunos casos definiciones del tipo *dama* o *gracioso*, etc.), ofrezco un elenco que recoge simplemente la lista completa de personajes que intervienen en la acción.

ACTO PRIMERO

El duque de Ferrara, de noche; Febo y Ricardo, criados

RICARDO   ¡Linda burla!
FEBO   Por estremo,
             pero ¿quién imaginara
             que era el duque de Ferrara?
DUQUE   Que no me conozcan temo.
RICARDO   Debajo de ser disfraz   5
             hay licencia para todo,
             que aun el cielo en algún modo
             es de disfraces capaz.

Acot. Lope comete un anacronismo al designar como *duque* al gobernante de
Ferrara, dado que, en la época en la que se desarrolló la historia en la que se basa
la acción de la tragedia, el estado de Ferrara era un marquesado. Esta inexacti-
tud histórica se debe a la adecuación de la obra a las expectativas y conocimien-
tos del público teatral del siglo XVII, cuando Ferrara tenía el título de ducado
como parte de los Estados Pontificios; era convención para indicar al público
que una escena transcurría *de noche* el que los actores salieran al escenario llevando antorchas o velas, así como capas de colores, lo que también indicaba que
la acción se desarrollaba en un espacio exterior (frente al traje negro que se llevaba en interiores). En este caso, la acción transcurre en las calles de la ciudad.
1. *Por estremo*: 'Extremada'; la acción de la tragedia comienza inmediatamente
después de que el Duque y sus criados se hayan visto involucrados en algún tipo
de engaño (probablemente con una mujer, como sugiere el tono del resto de la
escena). Este comienzo brusco era un recurso frecuente en el teatro barroco
para captar la atención del público desde el inicio de la representación. Por otro
lado, la presencia de un gobernante que recorre de noche las calles de su ciudad
es un motivo dramático empleado en diversas obras por Lope y otros dramaturgos de la época.   **4.** 'Temo que me reconozcan'. Se trata de una construcción pleonástica derivada de la estructura empleada en latín para expresar temor.   **5-6.** *Debajo de ser disfraz*: 'Precisamente por ser disfraz'; aquí, *disfraz* es
el 'vestido en el que se puede ocultar el rostro por medio de un embozo', usualmente la capa; *licencia para todo*: 'libertad para hacer cualquier cosa'.

¿Qué piensas tú que es el velo
con que la noche le tapa?   10
Una guarnecida capa
con que se disfraza el cielo;
  y, para dar luz alguna,
las estrellas que dilata
son pasamanos de plata,   15
y una encomienda la luna.

DUQUE   ¿Ya comienzas desatinos?

FEBO   No lo ha pensado poeta
destos de la nueva seta,
que se imaginan divinos.   20

RICARDO   Si a sus licencias apelo
no me darás culpa alguna,
que yo sé quien a la luna
llamó requesón del cielo.

DUQUE   Pues no te parezca error,   25
que la poesía ha llegado

---

11. *guarnecida*: 'adornada'.   **14-16.** *dilata*: 'extiende', aquí también con el sentido de 'contiene'; *pasamanos*: 'adornos que se utilizaban en los bordes de los vestidos'; *encomienda*: 'cruz que llevaban bordada en el vestido o capa los caballeros miembros de una de las órdenes militares'. Término empleado aquí como una metáfora visual: la luna en el cielo nocturno es como el distintivo que lucen en el pecho los caballeros.   **17.** *desatinos*: 'locuras, tonterías'.   **19-20.** Los poetas *de la nueva seta* ('secta') a los que se refiere Febo son los seguidores del estilo poético de Luis de Góngora, quienes, en opinión de Lope, formaban un grupo que estaba gravemente equivocado en sus ideas poéticas. Este pasaje es un reflejo de la polémica que hubo en la época en torno a la propuesta de Góngora de una poesía complicada y extremadamente culta, la cual fue elogiada y seguida por muchos poetas, pero que fue considerada también por otros —abanderados por Lope— como ajena a la tradición literaria española. En concreto, estos versos son una crítica hacia las audaces metáforas empleadas por los gongorinos, a los que Lope acusa de jactanciosos por pretender practicar un estilo poético superior al resto, así como de vanidosos por considerar que sólo por imitar el estilo de Góngora en sus composiciones poéticas alcanzan la fama y el reconocimiento propio de los grandes poetas; *divinos*: este término fue empleado en la época para designar a grandes poetas consagrados, como Fernando de Herrera o Francisco de Aldana.   **21.** *licencias*: 'licencias poéticas, libertades creativas'   **23.** *yo sé quien*: 'yo conozco a uno que'.

a tan miserable estado
que es ya como jugador
de aquellos transformadores
—muchas manos, ciencia poca— 30
que echan cintas por la boca
de diferentes colores.
Pero dejando a otro fin
esta materia cansada,
no es mala aquella casada. 35

RICARDO ¿Cómo mala? Un serafín.

Pero tiene un bravo azar,
que es imposible sufrillo.

DUQUE ¿Cómo?

RICARDO   Un cierto maridillo

que toma y no da lugar. 40

FEBO   Guarda la cara.

DUQUE   Ése ha sido

siempre el más cruel linaje
de gente deste paraje.

FEBO El que la gala, el vestido

y el oro deja traer, 45
tenga, pues él no lo ha dado,

---

29. *transformadores*: 'prestidigitadores, magos que hacen juegos de manos'. **30.** *muchas manos*: 'mucho juego de manos y destreza'; *ciencia poca*: 'poco estudio y erudición'. **31-32.** Para el Fénix, los poemas de los gongorinos carecían de conceptos serios y eran como *cintas por la boca de diferentes colores* que apelaban a los sentidos, pero no al entendimiento. **34.** *materia cansada*: 'tema pesado o enojoso'. **35.** *no es mala*: 'no es fea'. **37.** *un bravo azar*: 'un estorbo importante'. Lope juega aquí con el sentido más común de los dos términos, pues la mala suerte (*azar*) de esta mujer es tener un marido bravucón (*un bravo*). **38.** *sufrillo*: 'sufrirlo', por asimilación y palatalización de la –*r* del infinitivo en contacto con la –*l* de un pronombre personal enclítico, fenómeno presente en la lengua literaria de la época, especialmente en palabras en posición de rima, y que se repite en diversas ocasiones a lo largo de esta obra. **40.** El marido acepta (*toma*) los regalos que los galanes ofrecen a su mujer para seducirla, pero luego no permite (*no da lugar*) que gocen de los favores de su esposa. **41.** 'Guarda las apariencias, finge ser hombre honrado'; el sujeto es el *maridillo* del v. 39. **42.** *linaje*: 'clase'. **43.** *paraje*: 'lugar'. **44.** *gala*: 'trajes y joyas de lujo'.

lástima al que lo ha comprado,
pues, si muere su mujer,
   ha de gozar la mitad
como bienes gananciales.   50

RICARDO   Cierto que personas tales
poca tienen caridad,
   hablando cultidiablesco
por no juntar las dicciones.

DUQUE   Tienen esos socarrones   55
con el diablo parentesco,
   que, obligando a consentir,
después estorba el obrar.

RICARDO   Aquí pudiera llamar,
pero hay mucho que decir.   60

DUQUE   ¿Cómo?

RICARDO   Una madre beata
que reza y riñe a dos niñas

---

50. Febo afirma burlescamente que, frente a la noción popular de que en una relación adúltera el marido es quien merece compasión, en realidad se debe tener lástima del amante, pues es quien se gasta el dinero comprando unos regalos que, en última instancia, también benefician al marido consentido. Los *bienes gananciales* son bienes comunes adquiridos durante el matrimonio y la legislación establecía que la mitad correspondería al marido en caso de que falleciera su mujer. Febo, por lo tanto, compara jocosamente los regalos de un amante con bienes gananciales obtenidos por la mujer mediante su trabajo. **52-54.** El hipérbaton del v. 52 (*poca tienen caridad*) es una parodia del estilo *cultidiablesco* de los poetas gongorinos y de su tendencia a alterar el orden usual de las palabras (*por no juntar las dicciones*). El término *cultidiablesco* es un neologismo acuñado por Lope. **55-58.** Los maridos consentidores (*esos socarrones*) son tan engañosos como el diablo, quien empuja a los hombres a actuar (*obligando a consentir*) y luego dificulta la realización de sus propósitos (*estorba el obrar*). **59.** *Aquí*: el actor que interpretaba a Ricardo señalaría una de las puertas situadas al fondo del escenario, como si de la entrada a una casa se tratase. La convención dramática da a entender al público que los personajes, mientras conversan, han estado caminando por las calles de Ferrara y se han detenido delante de una casa en concreto. **61-62.** En el contexto de las correrías nocturnas del Duque, *madre* significa 'alcahueta' y las *niñas* son 'prostitutas', según el lenguaje germanesco de la época. El término *beata* tendría también, por consiguiente, el sentido figurado de 'hipócrita'.

entre majuelos y viñas,
una perla, y otra plata.

DUQUE   Nunca de esteriores fío.   65

RICARDO   No lejos vive una dama
como azúcar de retama,
dulce y morena.

DUQUE   ¿Qué brío?

RICARDO   El que pide la color,
mas el que con ella habita   70
es de cualquiera visita
cabizbajo rumiador.

FEBO   Rumiar siempre fue de bueyes.

RICARDO   Cerca he visto una mujer
que diera buen parecer   75
si hubiera estudiado leyes.

DUQUE   Vamos allá.

RICARDO   No querrá
abrir a estas horas.

DUQUE   ¿No?
¿Y si digo quién soy yo?

RICARDO   Si lo dices, claro está.   80

---

63. *majuelos*: 'viña recién plantada'. Se trata de una alusión, no exenta de erotismo, a la edad de las niñas (v. 62), que están entre la niñez y la juventud (*entre majuelos y viñas*).   **65.** 'nunca me fío de las apariencias'.   **67.** La dama es dulce (*como azúcar*) y de tez morena (como la *retama*, cuya semilla es oscura).   **68-69.** *brío*: 'ánimo, gallardía', aquí, con la connotación erótica de 'pasión'; en el siglo XVII todavía vacilaba el género del término *color*, que podía usarse tanto en femenino, como aquí sucede, como en masculino (así v. 1537). Por otro lado, la tradición literaria caracterizaba a la mujer morena como apasionada y con *brío*.   **70-73.** Ricardo afirma que el marido o galán de esta dama (*el que con ella habita*) sospecha *de cualquier visita* que ella recibe y refunfuña por lo bajo, como si fuera un animal rumiando su comida (*cabizbajo rumiador*). Febo responde con sorna que sospechar (*rumiar*) es propio de los hombres cornudos (metafóricamente comparados con *bueyes*).   **75.** 'que ofreciera una opinión razonada', juego de palabras hecho en torno a la referencia a las *leyes* del verso siguiente y el otro sentido de la expresión *buen parecer* ('buen aspecto').   **78.** *a estas horas*: más adelante (v. 209) se especifica que la acción tiene lugar en torno a las diez de la noche.

DUQUE	Llama, pues.
RICARDO	Algo esperaba,

que a dos patadas salió.

Cintia, en alto

CINTIA	¿Quién es?	
RICARDO	Yo soy.	
CINTIA	¿Quién es *yo*?	
RICARDO	Amigos, Cintia. Abre, acaba,	
	que viene el Duque conmigo;	85
	tanto mi alabanza pudo.	
CINTIA	¿El Duque?	
RICARDO	¿Eso dudas?	
CINTIA	Dudo,	
	no digo el venir contigo,	
	mas el visitarme a mí	
	tan gran señor y a tal hora.	90
RICARDO	Por hacerte gran señora	
	viene disfrazado ansí.	
CINTIA	Ricardo, si el mes pasado	
	lo que agora me dijeras	
	del Duque, me persuadieras	95
	que a mis puertas ha llegado,	
	pues toda su mocedad	

81-82. El actor que interpretara el papel de Ricardo golpearía con el pie una de las puertas situadas al fondo del escenario. El hecho de que Cintia se asome cuando ya es de noche y que lo haga rápidamente, tras sólo dos golpes a su puerta, son claros indicios de que se trata de una dama no muy honesta.   **Acot.** *en alto*: la actriz que interpretara a Cintia se asomaría al corredor del primer piso de la fachada del escenario ('el nivel alto del teatro'), como si estuviera asomándose a la calle desde la ventana o el balcón de una casa (véase el v. 125).   **84.** *acaba*: aquí, con el sentido de 'déjate de remilgos'.   **91.** 'Para favorecerte'.   **92.** *ansí*: variante arcaica del adverbio 'así', todavía de uso frecuente en el siglo XVII.   **93-96.** Entiéndase: 'Ricardo, si el mes pasado me hubieras dicho lo que ahora me estás diciendo del Duque, me habrías convencido entonces de que se encontraba delante de mi puerta'.

ha vivido indignamente,
fábula siendo a la gente
su viciosa libertad,   100
y como no se ha casado
por vivir más a su gusto,
sin mirar que fuera injusto
ser de un bastardo heredado
—aunque es mozo de valor   105
Federico—, yo creyera
que el Duque a verme viniera.
Mas ya que como señor
se ha venido a recoger
y, de casar concertado,   110
su hijo a Mantua ha enviado
por Casandra, su mujer,
no es posible que ande haciendo
locuras de noche ya,
cuando esperándola está   115
y su entrada previniendo;
que si en Federico fuera
libertad, ¿qué fuera en él?

99. *fábula*: 'comidilla, hablilla'.   **100.** *viciosa libertad*: 'desvergüenza, libertina-
je'.   **102.** *por vivir*: 'para vivir'.   **103-107.** Cintia recrimina indirectamente al
Duque que haya descuidado una de sus principales obligaciones como gobernante: la de asegurar su sucesión mediante un heredero legítimo, nacido en el
seno del matrimonio. Dado que el Duque no se ha casado para poder disfrutar de sus aventuras amorosas y sin atender a las consecuencias perniciosas que
su vida disoluta tiene sobre el bien común de sus súbditos (*sin mirar que fuera
injusto*), el ducado de Ferrara va a ser heredado por Federico, quien, pese a ser
joven de excelentes virtudes (*mozo de valor*), no deja de ser un hijo natural
concebido fuera del matrimonio.   **108-109.** 'ha actuado como el noble (*señor*)
que es y se ha apartado de la vida disoluta que llevaba, para así enmendar su
comportamiento'.   **110.** *de casar concertado*: 'acordado, tratado, que se casa'.
116. *entrada*: 'acto de recibimiento público organizado con motivo de la llegada a una ciudad de un monarca u otra persona principal', en este caso la futura
esposa del Duque; *previniendo*: 'preparando'.   **117-118.** 'si esta actitud sería
un vicio (*libertad*) recriminable incluso en el caso de que se tratara de Federico, que es joven, ¿qué decir si lo hiciera el Duque?'.

Y si tú fueras fiel,
aunque él ocasión te diera,   120
no anduvieras atrevido
deslustrando su valor,
que ya el Duque, tu señor,
está acostado y dormido;
    y así, cierro la ventana,   125
que ya sé que fue invención
para hallar conversación.
Adiós, y vuelve mañana.

Vase

DUQUE   ¡A buena casa de gusto
             me has traído!
RICARDO   Yo, señor,   130
             ¿qué culpa tengo?
DUQUE   Fue error
             fiarle tanto disgusto
                 para la noche que viene.
FEBO   Si quieres, yo romperé
             la puerta.
DUQUE   ¡Que esto escuché!   135
FEBO   Ricardo la culpa tiene.

---

120. *ocasión*: aquí con el sentido de 'causa, excusa'.   122. *deslustrando*: 'desacreditando'.   127. *hallar conversación*: 'entablar conversación', pero *conversación* también significaba en la época 'trato sexual'.   129. *casa de gusto*: por un lado, es una referencia irónica a una casa donde ha encontrado de todo salvo placer por las críticas que ha tenido que escuchar, mientras que, por otro lado, la expresión significaba 'prostíbulo' en lenguaje germanesco.   133. El sentido exacto de esta intervención del Duque ha sido debatido por otros editores, motivado en parte por el hecho de que este verso se atribuye a Febo en la *Parte XXI*. El sentido de los versos anteriores parece el siguiente: el Duque afirma que fue un *error* postergar la recriminación (*fiarle tanto disgusto*) que Cintia merece por el enfado que le ha causado con sus palabras hasta el próximo encuentro (*para la noche que viene*, en relación con el v. 128). De ahí que a continuación Febo, como criado adulador que es, se ofrezca a echar abajo la puerta de la casa para castigar su desvergüenza.

Pero, señor, quien gobierna,
si quiere saber su estado,
cómo es temido o amado,
deje la lisonja tierna   140
del criado adulador
y, disfrazado de noche
en traje humilde, o en coche,
salga a saber su valor,
   que algunos emperadores   145
se valieron deste engaño.

DUQUE   Quien escucha oye su daño,
y fueron, aunque los dores,
filósofos majaderos,
porque el vulgo no es censor   150
de la verdad, y es error
de entendimientos groseros
fiar la buena opinión
de quien, inconstante y vario,
todo lo juzga al contrario   155
de la ley de la razón.
   Un quejoso, un descontento,
echa, por vengar su ira,
en el vulgo una mentira,
a la novedad atento,   160
   y como por su bajeza
no la puede averiguar

---

138. 'si quiere conocer la situación de su gobierno'.   **144.** 'salga a conocer cómo lo valoran los súbditos'.   **145-146.** La historia y la tradición literaria dieron noticia de gobernantes que habían rondado de noche y disfrazados las calles de sus ciudades, como el emperador Nerón (cuyas fechorías nocturnas por Roma describe Suetonio en su obra *La vida de los doce Césares*).   **147.** Variante del refrán 'Quien escucha su mal oye'; era corriente en el teatro áureo el empleo de frases paremiológicas.   **148.** 'aunque los justifiques'.   **150-164.** *censor*: 'la persona encargada de valorar alguna cosa y dar su opinión sobre ella'. En este caso, 'quien se encarga de establecer lo que es verdad'; *entendimientos groseros*: 'personas ignorantes, con poca inteligencia'; *fiar la buena opinión*: 'confiar el honor y el buen nombre'; la crítica del *vulgo*, es decir, el conjunto de personas que no

ni en los palacios entrar,
murmura de la grandeza.
   Yo confieso que he vivido   165
libremente y sin casarme
por no querer sujetarme,
y que también parte ha sido
   pensar que me heredaría
Federico, aunque bastardo;   170
mas ya que a Casandra aguardo,
que Mantua con él me envía,
   todo lo pondré en olvido.

FEBO   Será remedio casarte.

RICARDO Si quieres desenfadarte,   175
pon a esta puerta el oído.

DUQUE   ¿Cantan?

RICARDO   ¿No lo ves?

DUQUE   ¿Pues quién
vive aquí?

RICARDO   Vive un autor
de comedias.

FEBO   Y el mejor
de Italia.

DUQUE   ¡Ellos cantan bien!   180
¿Tiénelas buenas?

---

pertenecían a las élites nobiliarias o intelectuales, fue un tópico recurrente en numerosos escritores de los Siglos de Oro, entre ellos Lope de Vega. En este pasaje se presentan algunos de los tópicos más empleados al caracterizar negativamente a este heterogéneo grupo social: no valora los hechos a partir de las reglas establecidas de la razón (*todo lo juzga al contrario / de la ley de la razón*), sino que se deja llevar por su gusto, que es inconstante y diverso (*inconstante y vario*), y por lo novedoso (*a la novedad atento*), sin atender si es bueno o no, y además cae fácilmente en la murmuración y crítica sin fundamento de los poderosos (*murmura de la grandeza*). **166.** *libremente*: 'lujuriosamente'. **167.** *por no querer sujetarme*: 'por no querer estar sometido a nadie'. **168.** *parte ha sido*: 'uno de los motivos ha sido'. **178-179.** *autor de comedias*: el director de una compañía de actores profesionales. En los Siglos de Oro el dramaturgo que escribía las comedias no solía recibir el nombre de *autor*, sino el de *poeta* o *ingenio* (véase el v. 192). **181.** Entiéndase: '¿Tiene buenas comedias?'.

RICARDO	Están
	entre amigos y enemigos:
	buenas las hacen amigos
	con los aplausos que dan,
	y los enemigos, malas. 185
FEBO	No pueden ser buenas todas.
DUQUE	Febo, para nuestras bodas
	prevén las mejores salas
	y las comedias mejores,
	que no quiero que repares 190
	en las que fueren vulgares.
FEBO	Las que ingenios y señores
	aprobaren llevaremos.
DUQUE	¿Ensayan?
RICARDO	Y habla una dama.
DUQUE	Si es Andrelina, es de fama. 195
	¡Qué acción! ¡Qué afectos! ¡Qué estremos!

Dentro

189-191. *repares*: 'atiendas, te fijes'; en la Europa de los siglos XVI y XVII se representaron comedias y otras piezas teatrales durante las fiestas por la celebración de bodas de la realeza y la alta nobleza. Estas comedias podían ser tanto de tema serio, usualmente mitológico, como de carácter cómico o burlesco (*vulgares*). **192.** *ingenios*: 'hombres entendidos, poetas'. **195.** *Andrelina*: alusión a Isabella Andreini (1562-1604), célebre actriz y poeta italiana. Formó parte de la compañía de *I Gelosi* junto con su marido, el actor Francesco Andreini, con la que representó en Italia y Francia, y alcanzó enorme fama y reconocimiento, especialmente por sus papeles de dama *innamorata* (lo que se relaciona con el carácter pasional del parlamento de los vv. 197-205). Además de triunfar como actriz, fue conocida por su cultura y sus habilidades literarias: escribió la fábula pastoril *La Mirtilla* (publicada en 1588), una colección de poemas titulada *Rime* (aparecidas en 1601) y unas epístolas ficticias, sus *Lettere*, publicadas póstumamente en 1607 por su marido; *de fama*: 'famosa'. **196.** *acción*: 'manera en la que representa'; *afectos*: las 'pasiones' que un representante imprimía a su actuación por medio de la voz y los gestos; *estremos*: 'expresiones intensas de sentimientos'. Estos tres términos se emplearon en el siglo XVII para describir algunas de las habilidades fundamentales que debía poseer el buen representante. **Acot.** Un recurso empleado en el teatro barroco era crear la ilusión de que el espacio de la acción continuaba más allá del fondo del escenario, el cual se hacía perceptible para el público por medio de efectos sonoros, música o voces de actores. En este caso, una

Déjame, pensamiento;
no más, no más, memoria,
que mi pasada gloria
conviertes en tormento,   200
y deste sentimiento
ya no quiero memoria, sino olvido,
que son, de un bien perdido
—aunque presumes que mi mal mejoras—,
discursos tristes para alegres horas.   205

DUQUE   ¡Valiente acción!
FEBO   ¡Estremada!
DUQUE   Más oyera, pero estoy
             sin gusto. Acostarme voy.
RICARDO   ¿A las diez?
DUQUE   Todo me enfada.
RICARDO   Mira que es esta mujer   210
             única.
DUQUE   Temo que hable
             alguna cosa notable.
RICARDO   De ti ¿cómo puede ser?
DUQUE   Agora sabes, Ricardo,
             que es la comedia un espejo   215

actriz situada detrás del escenario recitaría los versos que siguen a continuación
para dar la impresión de que provenían del interior de una casa.   **201-205.** *sentimiento*: aquí, con el sentido de 'dolor'; entiéndase: 'los pensamientos *de un bien
perdido* son reflexiones (*discursos*) demasiado *tristes* para momentos alegres (*alegres horas*), aunque tú, *memoria*, crees que me ayudas haciéndome recordar (*presumes que mi mal mejoras*)'. La actriz está ensayando un monólogo en el que con-
versa con su *memoria*, una de las tres facultades del alma de acuerdo con las
teorías de la época, acerca de unos recuerdos que le causan dolor y que pretende olvidar.   **206.** *Valiente*: 'Excelente'.   **208.** *gusto*: 'ánimos, deseo'. *Acostarme
voy*: 'A acostarme voy'. En la lengua del siglo XVII la preposición *a* podía quedar
absorbida delante de una palabra que comenzara por la misma letra, especialmente si se trataba de un infinitivo.   **209.** *me enfada*: 'me causa fastidio, me irri-
ta'.   **215.** El concepto del teatro como un reflejo de la vida se fundamenta
en una definición atribuida a Cicerón por el gramático Elio Donato en su co-
mentario al dramaturgo Terencio titulado *De comoedia* (V, 1), según la cual la

en que el necio, el sabio, el viejo,
el mozo, el fuerte, el gallardo,
el rey, el gobernador,
la doncella, la casada,
siendo al ejemplo escuchada   220
de la vida y del honor,
retrata nuestras costumbres,
o livianas o severas,
mezclando burlas y veras,
donaires y pesadumbres.   225
Basta que oí del papel
de aquella primera dama
el estado de mi fama:
bien claro me hablaba en él.
¿Que escuche, me persuades,   230
la segunda? Pues no ignores
que no quieren los señores
oír tan claras verdades.

Vanse
Federico, de camino, muy galán, y Batín, criado

comedia es imitación de la vida, espejo de la costumbre e imagen de la verdad.
Esta definición del teatro tuvo mucha fortuna en las teorías dramáticas europeas
de los siglos XVI y XVII, y en este pasaje Lope la complementa con una referencia
al didactismo del teatro (*siendo al ejemplo escuchada / de la vida y del honor*) y al carácter mixto que presenta (*mezclando burlas y veras, / donaires y pesadumbres*), conforme a su propia propuesta teatral.   **217.** *gallardo*: 'valiente'.   **220.** *al ejemplo*:
'para ejemplo'; el sujeto de *siendo escuchada* es *la comedia* del v. 215.   **222.** El
pasaje presenta alguna dificultad: el sujeto de *retrata* podría ser la serie de sus-
tantivos de los vv. 216-219, con el verbo concordando sólo con el último de ellos,
aunque también es posible que haya un anacoluto y el sentido de los versos sea
'la comedia muestra nuestras costumbres a través del necio, el sabio y el resto de
sus personajes'.   **226-231.** En consonancia con el resto de su intervención, el
Duque emplea términos teatrales para referirse a la pesadumbre que le ha supuesto esta salida nocturna: Cintia es *aquella primera dama* (un juego de palabras entre 'la primera mujer con la que hablaron' y 'actriz que interpreta el papel
protagonista') cuyo *papel* o cometido ha sido el de exponer al Duque la verdad
de su comportamiento inmoral, mientras que *la segunda* dama (v. 231) es la actriz a la que han oído ensayar y con la que Ricardo ahora querría divertir a su se-

BATÍN   Desconozco el estilo de tu gusto.
               ¿Agora en cuatro sauces te detienes,   235
               cuando a negocio, Federico, vienes
               de tan grande importancia?
FEDERICO   Mi disgusto
               no me permite, como fuera justo,
               más prisa y más cuidado;
               antes la gente dejo, fatigado   240
               de varios pensamientos,
               y al dosel destos árboles, que, atentos
               a las dormidas ondas deste río,
               en su puro cristal, sonoro y frío,
               mirando están sus copas   245
               después que los vistió de verdes ropas,
               de mí mismo quisiera retirarme,
               que me cansa el hablarme
               del casamiento de mi padre, cuando
               pensé heredarle; que si voy mostrando   250

ñor. **Acot.** *de camino, muy galán*: es decir, vestido con botas para el camino, así como con un traje de color y adornado con muchas galas. Frente al espacio urbano y nocturno en el que ha transcurrido el cuadro dramático anterior, el siguiente se desarrolla a la mañana del día siguiente, en medio de un paisaje boscoso en el camino entre Ferrara y Mantua.   **234.** 'Ignoro la naturaleza de tu voluntad'.   **237.** *grande*: en la lengua literaria del siglo XVII era frecuente que no se produjera apócope del adjetivo *grande* en *gran* cuando se encuentra delante del sustantivo al que complementa.   **239.** *cuidado*: 'atención'.   **240.** *antes*: aquí, con el sentido de 'al contrario'; *la gente*: los criados que acompañan a Federico en su camino a Mantua (véanse los vv. 251 y 328).   **242-247.** El espacio dramático que describe Federico responde a algunos de los tópicos del lugar ameno (árboles frondosos, río de aguas claras y sonoras), y con sus palabras permite localizar para el público el tipo de espacio donde se desarrolla la acción de este cuadro dramático, dado que muy probablemente en la representación no se emplearía apenas escenografía alguna para caracterizarlo; *dosel*: 'cubierta ornamentada, en forma de techo de tela, que se coloca sobre un altar, un trono o una cama', aquí empleado metafóricamente para designar el cobijo que forman las ramas de los sauces; el v. 244, presente en el autógrafo, falta en todas las ediciones impresas en el siglo XVII, probablemente debido a un descuido en el traslado de la copia que sirvió de base para la publicación tanto de la edición suelta como de la *parte*.   **250.** La aspiración de Federico de heredar a su padre queda a expensas de

a nuestra gente gusto, como es justo,
el alma llena de mortal disgusto,
camino a Mantua de sentido ajeno,
que voy por mi veneno
en ir por mi madrastra, aunque es forzoso. 255

BATÍN   Ya de tu padre el proceder vicioso,
de propios y de estraños reprehendido,
quedó a los pies de la virtud vencido;
ya quiere sosegarse,
que no hay freno, señor, como casarse. 260
Presentole un vasallo
al rey francés un bárbaro caballo,
de notable hermosura,
Cisne en el nombre y por la nieve pura
de la piel que cubrían 265
las rizas canas, que a los pies caían
de la cumbre del cuello en levantando
la pequeña cabeza.
Finalmente le dio naturaleza
—que alguna dama estaba imaginando— 270
hermosura y desdén, porque su furia
tenía por injuria
sufrir el picador más fuerte y diestro.
Viendo tal hermosura y tal siniestro,
mandole el Rey echar en una cava 275

---

los posibles hijos que pueda tener el Duque con Casandra, por lo que ésta se presenta como *veneno* (v. 254) para las ambiciones políticas del joven.   **261.** *Presentole*: 'Le regaló'; *vasallo*: 'súbdito'. La inclusión de cuentecillos o anécdotas, normalmente en boca del gracioso y muchas veces con moraleja, es un rasgo característico de la comedia áurea, ya que sirven tanto para ejemplificar la idea que un personaje quiere expresar como para introducir un elemento de variedad y diversión. **262.** *bárbaro*: 'salvaje, sin domar'.   **266.** *rizas*: 'rizadas'.   **270-271.** Entiéndase: 'la naturaleza dotó al caballo de hermosura y desdén, como si al hacerlo hubiera estado pensando en alguna dama'. La figura de la dama bella pero desdeñosa con sus amantes era un tópico frecuente en la literatura de la época. **273.** *picador*: 'domador y adiestrador de caballos'.   **274.** *siniestro*: 'vicio o mala costumbre en un animal'.   **275.** *cava*: 'foso, hoyo'.

a un soberbio león, que en ella estaba,
y, en viéndole feroz, apenas viva
el alma sensitiva,
hizo que el cuerpo alrededor se entolde
de las crines, que ya crespas sin molde   280
—si el miedo no lo era—
formaron como lanzas blanca esfera,
y, en espín erizado
de orgulloso caballo transformado,
sudó por cada pelo   285
una gota de hielo,
y quedó tan pacífico y humilde
que fue un enano en sus arzones tilde,
y el que a los picadores no sufría
los pícaros sufrió desde aquel día.   290

FEDERICO   Batín, ya sé que a mi vicioso padre
no pudo haber remedio que le cuadre
como es el casamiento,
pero ¿no ha de sentir mi pensamiento
haber vivido con tan loco engaño?   295
Ya sé que al más altivo, al más estraño,
le doma una mujer, y que, delante
deste león, el bravo, el arrogante,

---

278. *alma sensitiva*: según la filosofía aristotélica, era la facultad presente en
el hombre y los animales encargada de la percepción sensorial, los instintos y el
movimiento.   279-286. Entiéndase: 'la visión del león hizo que el caballo se
encogiera (*se entolde*) sobre sus *crines*, las cuales se erizaron sin orden (*crespas sin
molde*), como si *el miedo* hubiera servido de molde, haciendo que pareciera una
esfera blanca de la que sobresalían lanzas (*formaron como lanzas blanca esfera*) o
un puercoespín (*en espín erizado transformado*), y que sudara de miedo por cada
pelo'.   288. *arzones*: 'las partes delanteras o traseras de una silla de montar'; con
esta imagen Batín refiere que el caballo, domado por el miedo al león, permitió
que lo montara alguien tan pequeño y frágil como un enano, el cual se parecía
a una *tilde* sobre una letra al estar montado en el animal.   290. *pícaros*: 'mozos
de servicio, criados'.   294. *sentir*: aquí, 'tener pena o dolor por algún motivo'.
295. El *loco engaño* de Federico era la esperanza de heredar a su padre, ahora
perdida ante la próxima boda del Duque con Casandra.   296. *estraño*: 'esquivo, indiferente', especialmente en relación con el amor.

se deja sujetar del primer niño,
que, con dulce cariño   300
y media lengua, o muda o balbuciente,
tiniéndole en los brazos, le consiente
que le tome la barba.
Ni rudo labrador la roja parva
como un casado la familia mira   305
y de todos los vicios se retira.
Mas ¿qué me importa a mí que se sosiegue
mi padre y que se niegue
a los vicios pasados,
si han de heredar sus hijos sus estados   310
y yo, escudero vil, traer en brazos
algún león que me ha de hacer pedazos?

BATÍN   Señor, los hombres cuerdos y discretos,
cuando se ven sujetos
a males sin remedio,   315
poniendo la paciencia de por medio,
fingen contento, gusto y confianza
por no mostrar envidia y dar venganza.

FEDERICO   ¿Yo sufriré madrastra?

BATÍN   ¿No sufrías
las muchas que tenías   320
con los vicios del Duque? Pues agora
sufre una sola, que es tan gran señora.

FEDERICO   ¿Qué voces son aquéllas?

BATÍN   En el vado del río suena gente.

301-303. El coger con la mano o tirar de la barba de una persona (*tome la barba*) era considerado una afrenta, por lo que permitir que alguien lo hiciera era señal de que se trataba de un ser muy querido; así, el niño que todavía no puede hablar bien (con su *media lengua*); *tiniéndole*: 'teniéndole'. **304.** *roja*: 'rubia'; *parva*: 'la mies recogida en un montón después de haber sido trillada'. **311.** *escudero*: 'paje que sirve a un señor'. Federico afirma que, en el caso de que su padre tuviera un hijo con Casandra, él quedaría relegado a la condición de mero vasallo al servicio del heredero legítimo. **313.** *discretos*: 'con buen juicio'. **318.** *dar venganza*: 'dar lugar a la venganza'. **324.** Las palabras de Federico y Batín describen unos hechos que aparentemente tienen lugar más allá del fondo del escenario,

FEDERICO	Mujeres son; a verlas voy.
BATÍN	Detente. 325
FEDERICO	Cobarde, ¿no es razón favorecellas?

Vase

BATÍN	Escusar el peligro es ser valiente.
	¡Lucindo! ¡Albano! ¡Floro!

Éstos salen

LUCINDO	El Conde llama.
ALBANO	¿Dónde está Federico?
FLORO	¿Pide acaso
	los caballos?
BATÍN	Las voces de una dama, 330
	con poco seso y con valiente paso,
	le llevaron de aquí. Mientras le sigo,
	llamad la gente.

Vase

LUCINDO	¿Dónde vas? ¡Espera!
ALBANO	Pienso que es burla.
FLORO	Y yo lo mismo digo,
	aunque suena rumor en la ribera 335
	de gente que camina.
LUCINDO	Mal Federico a obedecer se inclina
	el nuevo dueño, aunque por ella viene.

---

donde el público no los puede ver, pero que puede imaginar.   **326.** *es razón*: 'es razonable, es justo'.   **327.** La cobardía y su justificación son rasgos prototípicos del gracioso en la comedia áurea.   **333.** *llamad la gente*: la ausencia de la preposición *a* delante del complemento directo de persona es un rasgo lingüístico, todavía aceptado en el siglo XVII, que puede encontrarse a lo largo de la obra de Lope de Vega y en la tragedia que nos ocupa (véanse, por ejemplo, los vv. 338 y 2271).   **337-338.** 'Federico muestra poca disposición (*mal se inclina*) a obedecer a su nueva señora (*el nuevo dueño*), aunque acude a por ella'.

ALBANO   Sale a los ojos el pesar que tiene.

Federico sale con Casandra en los brazos

FEDERICO   Hasta poneros aquí   340
            los brazos me dan licencia.
CASANDRA   Agradezco, caballero,
            vuestra mucha gentileza.
FEDERICO   Y yo a mi buena fortuna
            traerme por esta selva,   345
            casi fuera de camino.
CASANDRA   ¿Qué gente, señor, es ésta?
FEDERICO   Criados que me acompañan.
            No tengáis, señora, pena:
            todos vienen a serviros.   350

Batín sale con Lucrecia, criada, en los brazos

BATÍN   Mujer, dime, ¿cómo pesas
            si dicen que sois livianas?
LUCRECIA   Hidalgo, ¿dónde me llevas?

---

339. *Sale a los ojos*: 'Salta a los ojos, es evidente'.   **Acot.** La entrada en escena de Casandra en brazos de Federico está cargada de un fuerte simbolismo por el contacto físico entre madrastra e hijastro en este primer encuentro, y dota de sentido premonitorio a los vv. 311-312.   **341.** Entiéndase: 'los brazos me dan licencia para sosteneros'. Federico se disculpa por la osadía de tomar en brazos a Casandra.   **343.** *gentileza*: aquí, con el sentido de 'cortesía'.   **344.** *fortuna*: 'suerte'.   **345.** *selva*: aquí, con el sentido más general de 'lugar frondoso y lleno de árboles'.   **349.** *pena*: 'congoja, miedo'.   **350.** Con estas palabras Federico pretende tranquilizar a Casandra al hacerle saber que se encuentra ante gente de bien y no ante bandoleros.   **Acot.** La imitación de las acciones de los protagonistas por parte de los criados es un recurso empleado en numerosas ocasiones en el teatro áureo, especialmente cuando se utiliza con un fin cómico y paródico.   **352.** *livianas*: Batín juega aquí con la doble acepción de la palabra, que significa tanto 'ligeras, de poco peso' como 'inconstantes y frívolas en sus relaciones amorosas', rasgo este último propio del carácter de las mujeres, según la mentalidad de la época.   **353.** El *hidalgo* pertenecía a la nobleza más baja. Esta figura se había ido desvalorizando con el tiempo hasta llegar a con-

BATÍN	A sacarte por lo menos
	de tanta enfadosa arena 355
	como la falta del río
	en estas orillas deja.
	Pienso que fue treta suya,
	por tener ninfas tan bellas,
	volverse el coche al salir; 360
	que si no fuera tan cerca
	corriérades gran peligro.
FEDERICO	Señora, porque yo pueda
	hablaros con el respeto
	que vuestra persona muestra, 365
	decidme quién sois.
CASANDRA	Señor,
	no hay causa por que no deba
	decirlo. Yo soy Casandra,
	ya de Ferrara duquesa,
	hija del duque de Mantua. 370
FEDERICO	¿Cómo puede ser que sea
	Vuestra Alteza, y venir sola?
CASANDRA	No vengo sola, que fuera
	cosa imposible. No lejos
	el marqués Gonzaga queda, 375
	a quien pedí me dejase,

---

vertirse en objeto de burlas en la literatura del siglo XVII: de ahí que Lucrecia pueda llamar *hidalgo* a un criado como Batín sin que resulte indecoroso para el público.   **355.** *enfadosa*: 'molesta'.   **358-360.** 'Fue una argucia (*treta*) del río para tener mujeres tan bellas (*por tener ninfas tan bellas*) el que se volcara (*volverse*) el coche al salir del camino'.   **362.** *corriérades*: 'corrierais'. La variante etimológica *–ades* (derivada de la desinencia latina *–atis*) para la segunda persona del plural todavía se empleaba en ocasiones en la lengua literaria del siglo XVII.   **363.** *porque*: aquí, con el valor final de 'para', como en otros lugares de la obra.   **365.** *muestra*: 'da muestras de merecer'.   **372.** La fórmula de tratamiento de *Vuestra Alteza* era empleada en el siglo XVII para príncipes o infantes, como es el caso de Casandra, hija del señor de Mantua. Federico se dirigirá a Casandra con una fórmula de tratamiento de cortesía hasta el acto segundo, cuando su amor haga que supere esta convención social.

atravesando una senda,
pasar sola en este río
parte desta ardiente siesta,
y, por llegar a la orilla   380
que me pareció cubierta
de más árboles y sombras,
había más agua en ella;
tanto, que pude correr,
sin ser mar, fortuna adversa,   385
mas no pudo ser Fortuna,
pues se pararon las ruedas.
Decidme, señor, quién sois,
aunque ya vuestra presencia
lo generoso asegura   390
y lo valeroso muestra,
que es razón que este favor
no sólo yo le agradezca,
pero el Marqués y mi padre,
que tan obligados quedan.   395

FEDERICO   Después que me dé la mano,
           sabrá quién soy Vuestra Alteza.

CASANDRA   ¿De rodillas? ¡Es exceso!
           No es justo que lo consienta
           la mayor obligación.   400

FEDERICO   Señora, es justo y es fuerza:

---

379. *siesta*: 'tiempo después del mediodía', cuando más aprieta el calor (de ahí que sea *ardiente*). Tradicionalmente era un momento del día que se relacionaba con hechos funestos.   385. Aquí Casandra juega con la dilogía de la expresión *fortuna adversa*, pues significa tanto 'tempestad' como 'mala suerte'.   386-387. Las *ruedas* de su carro, al contrario que la rueda en constante movimiento de la representación alegórica de la *Fortuna*, se *pararon* al volcarse.   390. *generoso*: 'noble, excelente'.   394. *pero*: aquí, con el sentido de 'sino'.   395. *obligados*: 'agradecidos'.   396. *me dé la mano*: con el sentido de 'me dé a besar la mano'.   398. *¡Es exceso!*: '¡Es excesivo!'; aunque ninguna acotación lo indique, es evidente por la pregunta de Casandra que el actor que interpretara a Federico se arrodillaría delante de ella en señal de respeto y que luego se levantaría a sus ruegos.   401. *es fuerza*: 'es necesario'.

	mirad que soy vuestro hijo.	
CASANDRA	Confieso que he sido necia	
	en no haberos conocido.	
	¿Quién, sino quien sois, pudiera	405
	valerme en tanto peligro?	
	Dadme los brazos.	
FEDERICO	Merezca	
	vuestra mano.	
CASANDRA	No es razón.	
	Dejaldes pagar la deuda,	
	señor conde Federico.	410
FEDERICO	El alma os dé la respuesta.	

Hablen quedo y diga Batín

BATÍN	Ya que ha sido nuestra dicha	
	que esta gran señora sea	
	por quien íbamos a Mantua,	
	sólo resta que yo sepa	415
	si eres *tú, vuesa merced,*	
	señoría o *excelencia*	
	para que pueda medir	
	lo razonado a las prendas.	
LUCRECIA	Desde mis primeros años	420

406. *valerme*: 'socorrerme, protegerme'.   **408.** Mientras que Federico considera que sólo merece besar la mano de su futura madrastra en señal de respeto, Casandra quiere demostrarle su afecto con un abrazo.   **409.** *Dejaldes*: 'Dejadles', por metátesis. Esta forma del imperativo con pronombre todavía era utilizada en la lengua literaria del siglo XVII. El antecedente es *los brazos*. **Acot.** *quedo*: 'en voz muy baja, sin hacer ruido'. Los actores que interpretaran a Casandra y Federico fingirían estar conversando a un lado del escenario durante el diálogo de Batín y Lucrecia. Por otro lado, nótese cómo la conversación entre los criados funciona como una parodia del diálogo que acaban de mantener Casandra y Federico, pues el tema de la cortesía da paso a las burlas. **415-419.** *resta*: 'falta'; Batín, a modo de chanza, pregunta a Lucrecia si debe utilizar una forma de tratamiento entre iguales (*tú*), de respeto (*vuesa merced*) o de reverencia (*señoría* o *excelencia*), con el fin de ajustar (*medir*) sus palabras (*lo razonado*) a las cualidades (*prendas*) de su interlocutora.

sirvo, amigo, a la Duquesa.
Soy doméstica criada;
visto y desnudo a Su Alteza.

BATÍN   ¿Eres camarera?

LUCRECIA   No.

BATÍN   Serás *hacia*-camarera,   425
como que lo fuiste a ser
y te quedaste a la puerta.
Tal vez tienen los señores
como lo que tú me cuentas:
unas criadas malillas,   430
entre doncellas y dueñas,
que son todo y no son nada.
¿Cómo te llamas?

LUCRECIA   Lucrecia.

BATÍN   ¿La de Roma?

LUCRECIA   Más acá.

BATÍN   ¡Gracias a Dios que con ella   435
topé! Que, desde su historia,
traigo llena la cabeza

---

424. *camarera*: 'la criada de confianza que sirve a su señora en su habitación, ayudándola a vestirse y arreglarse'.   **428.** *Tal vez*: 'Algunas veces'.   **430-432.** 'unas criadas comodín (las *malillas* eran las cartas de la baraja que se usaban de comodín), que no son ni criadas jóvenes que sirven a la señora de la casa (*doncellas*) ni criadas experimentadas que supervisan al resto del servicio (*dueñas*), y que pueden servir para cualquier labor en la casa sin ocupar ningún puesto concreto'.   **433-434.** Según la leyenda recogida por historiadores griegos y difundida especialmente por el romano Tito Livio en su libro *Ab urbe condita* (I, 57-60), varios nobles romanos apostaron durante una campaña militar acerca de cuál de sus esposas era la más casta durante su ausencia y regresaron de noche a sus casas para comprobarlo. Lucrecia, esposa de Colatino, demostró ser la más fiel de todas ellas. Sin embargo, Sexto Tarquino, hijo del rey romano, quedó prendado de la belleza y castidad de la dama, hasta el punto de que, para satisfacer su lujurioso deseo, regresó otra noche a casa de Lucrecia y la violó tras amenazarla con la muerte y el deshonor. Lucrecia denunció lo sucedido a su padre y a su esposo e inmediatamente después se suicidó con un puñal; *Más acá*: es decir, 'de Mantua', ciudad más cercana al lugar donde se encuentran los personajes que Roma.   **436.** *desde su historia*: 'desde que conozco su historia'.

de castidades forzadas
y de diligencias necias.
¿Tú viste a Tarquino?

LUCRECIA   ¿Yo?   440

BATÍN   Y ¿qué hicieras si le vieras?

LUCRECIA   ¿Tienes mujer?

BATÍN   ¿Por qué causa
lo preguntas?

LUCRECIA   Porque pueda
ir a tomar su consejo.

BATÍN   Herísteme por la treta.   445
¿Tú sabes quién soy?

LUCRECIA   ¿De qué?

BATÍN   ¿Es posible que no llega
aun hasta Mantua la fama
de Batín?

LUCRECIA   ¿Por qué excelencias?
Pero tú debes de ser   450
como unos necios que piensan
que en todo el mundo su nombre
por único se celebra,
y apenas le sabe nadie.

BATÍN   No quiera Dios que tal sea   455
ni que murmure envidioso

---

439. Las *diligencias necias* a las que se refiere Batín son el suicidio de Lucrecia. Pese a que la figura de Lucrecia se convirtió en la Edad Media en símbolo de castidad, San Agustín arrojó una sombra de duda sobre la fidelidad de Lucrecia al preguntarse en *La ciudad de Dios* (I, 19) si su suicidio estaba justificado, pues acción tan extrema sólo se explicaría si hubiera consentido voluntariamente al deseo de Tarquino.   **444.** Ante la pregunta socarrona de Batín de cómo actuaría ella ante Tarquino, la criada le rebate que cada hombre tendría que preguntarse por cómo actuaría su propia esposa si fuera Lucrecia.   **445.** La *treta* es, en el arte de la esgrima, un amago hecho con la espada.   **447.** En la lengua del siglo XVII la construcción interrogativa *es posible que* podía preceder a un verbo en infinitivo y no en subjuntivo, como actualmente ocurre.   **454.** *le*: el antecedente es *su nombre* del v. 452. Lope de Vega era leísta, como se ve en este caso y en múltiples pasajes de esta obra (véanse, como muestra, los vv. 1073, 1560, 2305 o 2324).

de las virtudes ajenas.
Esto dije por donaire,
que no porque piense o tenga
satisfación y arrogancia.   460
Verdad es que yo quisiera
tener fama entre hombres sabios
que ciencia y letras profesan;
que en la ignorancia común
no es fama, sino cosecha,   465
que sembrando disparates
coge lo mismo que siembra.

CASANDRA   Aún no acierto a encarecer
el haberos conocido.
Poco es lo que había oído   470
para lo que vengo a ver:
el hablar, el proceder
a la persona conforma,
hijo y mi señor, de forma
que muestra en lo que habéis hecho   475
cuál es el alma del pecho
que tan gran sujeto informa.
Dicha ha sido haber errado
el camino que seguí,
pues más presto os conocí   480
por yerro tan acertado.
Cual suele en el mar airado
la tempestad, después della,
ver aquella lumbre bella,

---

460. *satisfación*: 'presunción, vanagloria'.   **468.** *encarecer*: aquí, con el sentido de 'dar gracias por'.   **473.** 'se corresponde al tipo de persona que es'.   **477.** Según la teoría hilemorfista de tradición aristotélico-escolástica, el alma da forma (*informa*) al cuerpo de la persona (el *sujeto*) y con él constituye su esencia. Por ello, Casandra afirma que las buenas maneras y la actuación de Federico se corresponden con el carácter benévolo y valiente de su alma.   **484.** La *lumbre bella* es el fuego de San Telmo, fenómeno meteorológico en forma de resplandor brillante que puede tener lugar en lo alto de los mástiles de un barco después de una tormenta eléctrica y que entre los marineros de la época era considerado como una señal de protección.

así fue mi error la noche,   485
mar el río, nave el coche,
yo el piloto y vos mi estrella.
Madre os seré desde hoy,
señor conde Federico,
y deste nombre os suplico   490
que me honréis, pues ya lo soy.
De vos tan contenta estoy
y tanto el alma repara
en prenda tan dulce y cara
que me da más regocijo   495
teneros a vos por hijo
que ser duquesa en Ferrara.

FEDERICO   Basta que me dé temor,
hermosa señora, el veros;
no me impida el responderos   500
turbarme tanto favor.
Hoy el Duque, mi señor,
en dos divide mi ser,
que del cuerpo pudo hacer
que mi ser primero fuese   505
para que el alma debiese
a mi segundo nacer.
Destos nacimientos dos
lleváis, señora, la palma,
que para nacer con alma   510
hoy quiero nacer de vos;
que, aunque quien la infunde es Dios,
hasta que os vi no sentía

---

493. *repara*: 'se detiene, presta atención'.   494. *prenda*: 'ser querido'; *cara*: 'querida'.   498. *temor*: aquí, con el sentido de 'turbación reverencial y respetuosa'.
507-517. El discurso de Federico está construido en torno a tópicos del neoplatonismo y de la lírica amorosa de corte cancioneril, donde la amada se equipara con la divinidad creadora. Federico afirma que conocer a Casandra ha sido como nacer *de nuevo*, pues hasta entonces sólo tenía constancia de su existencia corporal y no espiritual (*yo sin alma vivía*).

en qué parte la tenía,
pues si conocerla os debo,   515
vos me habéis hecho de nuevo,
que yo sin alma vivía.
    Y desto se considera,
pues que de vos nacer quiero,
que soy el hijo primero   520
que el Duque de vos espera.
Y de que tan hombre quiera
nacer no son fantasías,
que, para disculpas mías,
aquel divino crisol   525
ha seis mil años que es sol
y nace todos los días.

El marqués Gonzaga, Rutilio y criados

RUTILIO   Aquí, señor, los dejé.
MARQUÉS   Estraña desdicha fuera
              si el caballero que dices   530
              no llegara a socorrerla.
RUTILIO   Mandome alejar, pensando
              dar nieve al agua risueña,
              bañando en ella los pies
              para que corriese perlas,   535

---

518. *se considera*: 'se deduce'.   **522**: *tan hombre*: 'siendo hombre adulto'.
525-526. *divino crisol*: es decir, 'el sol', al que se compara metafóricamente con el
cuenco en el que los plateros fundían el oro y cuyo carácter lumínico y celestial
lo relaciona con lo *divino*; en la época se consideraba que el universo y todo lo
que contiene había sido creado hacía unos seis mil años, según diversas crono-
logías propuestas por autores medievales a partir de la Biblia.   **Acot.** *criados*: es
frecuente encontrar en las acotaciones del teatro del siglo XVII indicaciones similares de la presencia en escena de un grupo indeterminado de personajes, cuya
finalidad es la de crear la sensación de multitud en el tablado y cuyo número de-
pendía de los integrantes de los que dispusiera la compañía que representara la
obra.   **529.** 'Hubiera sido una gran desgracia'.   **535.** 'para que saltaran gotas de
agua (*corriese perlas*) al chocar la corriente con los pies'. El pie femenino era tó-

y así no pudo llegar
tan presto mi diligencia,
y en brazos de aquel hidalgo
salió, señor, la Duquesa;
pero como vi que estaban   540
seguros en la ribera,
corrí a llamarte.

MARQUÉS   Allí está,
entre el agua y el arena,
el coche solo.

RUTILIO   Estos sauces
nos estorbaron el verla.   545
Allí está con los criados
del caballero.

CASANDRA   Ya llega
mi gente.

MARQUÉS   ¡Señora mía!

CASANDRA   ¡Marqués!

MARQUÉS   Con notable pena
a todos nos ha tenido   550
hasta agora Vuestra Alteza.
Gracias a Dios que os hallamos
sin peligro.

CASANDRA   Después dellas
las dad a este caballero:
su piadosa gentileza   555
me sacó libre en los brazos.

MARQUÉS   Señor Conde, ¿quién pudiera,

---

picamente blanco: de ahí que las gotas de agua se transformen en perlas al chocar contra él. La imagen de una dama bañando sus pies desnudos en las aguas
de un río se convirtió en un motivo literario con una fuerte carga sensual.
542. *Allí*: este deíctico probablemente vendría acompañado por un gesto del
Marqués con el que señalaría el lugar donde supuestamente se encontraría vara-
do el coche de Casandra, situado en un espacio más allá del fondo del escenario,
fuera de la vista del público.   **543.** *el arena*: en el siglo XVII el alomorfo del artículo
femenino *el* podía utilizarse delante de un sustantivo femenino que comenzara
por la vocal *a* átona.   **553.** *Después dellas*: 'Después de las gracias a Dios'.

sino vos, favorecer
a quien ya es justo que tenga
el nombre de vuestra madre?   560
FEDERICO   Señor Marqués, yo quisiera
ser un Júpiter entonces,
que, transformándome cerca
en aquel ave imperial,
aunque las plumas pusiera   565
a la luz de tanto sol,
ya de Faetonte soberbia,
entre las doradas uñas
tusón del pecho la hiciera,
y por el aire en los brazos   570
por mi cuidado la vieran
los del Duque, mi señor.
MARQUÉS   El cielo, señor, ordena
estos sucesos que veis
para que Casandra os deba   575
un beneficio tan grande
que desde este punto pueda
confirmar las voluntades,

---

563. *cerca*: 'inmediatamente'. 564-572. Federico recurre aquí a una serie de imágenes mitológicas para expresar su deseo de favorecer a Casandra. Así, querría transformarse en águila (*aquel ave imperial*), como hizo el dios Zeus al raptar al hermoso príncipe troyano Ganímedes, para poder llevar a Casandra en volandas hasta los brazos del duque de Ferrara, aunque ello le supusiera sufrir el mismo destino que Faetonte, quien, al tomar un día las riendas del carro del Sol, estuvo a punto de destruir el mundo con sus imprudencias y fue fulminado por un rayo de Zeus. La imagen se completa con la referencia al *tusón del pecho*, la insignia de la orden civil de caballería del Toisón de Oro, fundada en el siglo XV por el duque de Borgoña. El distintivo consistía en un collar dorado rematado con un carnero (*el tusón*), el cual simbolizaba tanto el vellocino de oro de la mitología griega como el vellocino ofrecido a Dios por el caudillo israelí Gedeón. Federico compara el carnero del collar colgando del pecho de un caballero de esta orden con la imagen de Casandra apoyada sobre su pecho mientras él la lleva volando a su padre; *tanto sol*: 'sol tan grande', alusión metafórica a Casandra; *por mi cuidado*: 'mediante mis atenciones'. 573. *ordena*: 'dispone'. 576. *beneficio*: 'favor'. 577. *punto*: 'momento'. 578. 'confirmar los afectos de Casandra y Federico'.

y en toda Italia se vea
amarse tales contrarios   580
y que en un sujeto quepan.

Hablen los dos y, aparte, Casandra y Lucrecia

CASANDRA   Mientras los dos hablan, dime
qué te parece, Lucrecia,
de Federico.
LUCRECIA   Señora,
si tú me dieses licencia,   585
mi parecer te diría.
CASANDRA   Aunque ya no sin sospecha,
yo te la doy.
LUCRECIA   Pues yo digo...
CASANDRA   Di.
LUCRECIA   Que más dichosa fueras
si se trocara la suerte.   590
CASANDRA   Aciertas, Lucrecia, y yerra
mi fortuna, mas ya es hecho,
porque cuando yo quisiera,
fingiendo alguna invención,
volver a Mantua, estoy cierta   595

---

580. Los *contrarios* u 'opuestos' a los que se refiere el Marqués son madrastra e hijastro, a los que tradicionalmente se consideraba como personas enfrentadas por naturaleza.   **581.** 'y que estén estrechamente unidos', es decir, que madrastra e hijastro se demuestren afecto. También puede ser una referencia a que los dos puedan convivir en el *sujeto* ('persona') del Duque, quien será a la vez marido de Casandra y padre de Federico.   **Acot.** Las actrices que interpretaran a Casandra y Lucrecia se apartarían lo suficiente del Marqués y Federico para dar la impresión ante el público de que hablaban entre sí sin que ellos pudieran escucharlas, mientras que los actores, a su vez, se quedarían en un segundo plano y fingirían proseguir con su conversación.   **590.** Lucrecia, en cuanto criada y confidente de Casandra, es también quien expresa lo que su señora piensa pero no puede decir abiertamente: que Casandra sería más feliz si estuviera comprometida con Federico y no con el Duque.   **591-592.** *yerra mi fortuna*: 'se equivoca mi suerte', con el sentido de 'he tenido mala suerte', pues debe casarse con el Duque y no con Federico.

que me matara mi padre,
y por toda Italia fuera
fábula mi desatino,
fuera de que no pudiera
casarme con Federico;   600
y así, no es justo que vuelva
a Mantua, sino que vaya
a Ferrara, en que me espera
el Duque, de cuya libre
vida y condición me llevan   605
las nuevas con gran cuidado.

MARQUÉS   ¡Ea! Nuestra gente venga
y alegremente salgamos
del peligro desta selva.
Parte delante a Ferrara,   610
Rutilio, y lleva las nuevas
al Duque del buen suceso,
si por ventura no llega
anticipada la fama,
que se detiene en las buenas   615
cuanto corre en siendo malas.
Vamos, señora, y prevengan
caballo al Conde.

FLORO   ¡El caballo
del Conde!

CASANDRA   Vuestra Excelencia
irá mejor en mi coche.   620

FEDERICO   Como mande Vuestra Alteza
que vaya, la iré sirviendo.

---

599. *fuera de que*: 'además de que'.   **605.** *me llevan*: aquí, con el sentido de 'me llegan'.   **606.** *nuevas*: 'noticias'; *cuidado*: 'preocupación'. Se refiere a la mala fama del Duque.   **613.** *por ventura*: 'acaso'.   **614.** La *Fama* se representaba alegóricamente en los Siglos de Oro como una mujer con alas que se desplazaba rápidamente divulgando las noticias.   **615.** *buenas*: 'buenas nuevas'.

*El Marqués lleve de la mano a Casandra y queden Federico y
Batín*

BATÍN	¡Qué bizarra es la Duquesa!
FEDERICO	¿Parécete bien, Batín?
BATÍN	Paréceme una azucena 625
	que está pidiendo al aurora
	en cuatro cándidas lenguas
	que le trueque en cortesía
	los granos de oro a sus perlas.
	No he visto mujer tan linda. 630
	Por Dios, señor, que si hubiera
	lugar –porque suben ya
	y no es bien que la detengas–
	que te dijera...
FEDERICO	No digas
	nada, que con tu agudeza 635
	me has visto el alma en los ojos
	y el gusto me lisonjeas.
BATÍN	¿No era mejor para ti
	esta clavellina fresca,
	esta naranja en azar, 640
	toda de pimpollos hecha,
	esta alcorza de ámbar y oro,

623. *bizarra*: 'gallarda, hermosa'.   **627-629.** Batín compara a Casandra con una hermosa azucena que pide a la aurora, a través de algunos de sus blancos pétalos (*en cuatro cándidas lenguas*), que intercambie cortésmente (*trueque en cortesía*) su polen (*los granos de oro*) por gotas de rocío (*sus perlas*). La metáfora conlleva otra alabanza, pues la azucena era símbolo de pureza.   **631-632.** *si hubiera lugar*: 'si fuera el momento'; *suben ya*: Casandra y Lucrecia están subiendo al coche de la Duquesa.   **635.** *agudeza*: 'perspicacia'.   **636.** 'me has leído el pensamiento'. La idea de que la mirada podía reflejar el alma de una persona estaba ya muy extendida en la época y se inspiraba en la afirmación de Cicerón (*De oratore*, III, 221) de que el rostro es el espejo del alma.   **639.** *clavellina*: 'clavel de tamaño más pequeño'.   **640.** *azar*: 'azahar, flor'. La forma *azar* (variante etimológica derivada del árabe hispánico *az-zahr*) es empleada por Lope junto con la más moderna de *azahar*.   **641.** *pimpollos*: 'brotes nuevos de una planta'.   **642.** *alcorza*: 'pasta de azúcar y aromas que

esta Venus, esta Elena?
¡Pesia las leyes del mundo!

FEDERICO   Ven, no les demos sospecha,   645
            y seré el primer alnado
            a quien hermosa parezca
            su madrastra.

BATÍN   Pues, señor,
            no hay más de tener paciencia,
            que a fe que a dos pesadumbres   650
            ella te parezca fea.

Vanse
Salgan el duque de Ferrara y Aurora, su sobrina

DUQUE   Hallarala en el camino
            Federico si partió
            cuando dicen.

AURORA   Mucho erró,
            pues cuando el aviso vino   655
            era forzoso el partir
            a acompañar a Su Alteza.

DUQUE   Pienso que alguna tristeza
            pudo el partir diferir;
                que, en fin, Federico estaba   660
            seguro en su pensamiento
            de heredarme, cuyo intento,
            que con mi amor consultaba,

sirve para recubrir dulces'. Con esta metáfora Batín compara a Casandra con
una pasta hecha de un perfume delicado (*ámbar*) y un metal precioso (*oro*).
644. '¡Malditas sean las leyes del mundo!'. **646.** *alnado*: 'hijastro'. **649.** *más
de*: 'más que'. **650-651.** 'yo te prometo que con dos veces que riñáis ella te pa-
recerá fea'. **Acot.** Pese a que la acotación no ofrece detalles sobre el espacio
donde se desarrolla este cuadro dramático, sabemos por los vv. 808, 862 y 976
que la acción transcurre en una huerta o jardín a las afueras de Ferrara, donde aguardan el Duque y Aurora la llegada de Casandra y su comitiva, y donde hay preparadas unas sillas bajo un dosel para el recibimiento. **662-664.** 'el
propósito de Federico de heredarme, que se correspondía con mi amor hacia

fundaba bien su intención,
porque es Federico, Aurora,   665
lo que más mi alma adora,
y fue casarme traición
    que hago a mi propio gusto;
que mis vasallos han sido
quien me ha forzado y vencido   670
a darle tanto disgusto;
    si bien dicen que esperaban
tenerle por su señor,
o por conocer mi amor
o porque también le amaban,   675
    mas que los deudos que tienen
derecho a mi sucesión
pondrán pleito con razón,
o que, si a las armas vienen,
    no pudiendo concertallos,   680
abrasarán estas tierras,
porque siempre son las guerras
a costa de los vasallos.
    Con esto determiné
casarme; no pude más.   685

AURORA   Señor, disculpado estás;
yerro de Fortuna fue,
    pero la grave prudencia
del Conde hallará templanza
para que su confianza   690

él (*con mi amor consultaba*), estaba bien fundado'. **670.** *vencido*: aquí, con el
sentido de 'persuadido, convencido'. **676-678.** *mas que*: 'mas dicen que', por
elisión del verbo, que aparece en el v. 672; los parientes (*deudos*) del Duque
tendrían fundamento legal en una hipotética reclamación del ducado de Ferrara tras la muerte del Duque sin heredero legítimo, dada la condición de
hijo bastardo de Federico (*pondrán pleito con razón*). **680.** *concertallos*: 'pactar
con ellos'. **688.** *grave prudencia*: aquí, con el sentido de 'enfadosa gravedad o
melancolía' (en relación con la tristeza mencionada en el v. 658). **690.** *confianza*: se refiere a la frustrada 'esperanza' de Federico de ser el heredero de su
padre.

tenga consuelo y paciencia;
aunque en esta confusión
un consejo quiero darte
que será remedio en parte
de su engaño y tu afición.   695
Perdona el atrevimiento,
que, fiada en el amor
que me muestras, con valor
te diré mi pensamiento.
Yo soy, invicto Duque, tu sobrina;   700
hija soy de tu hermano,
que en su primera edad, como temprano
almendro que la flor al cierzo inclina,
cinco lustros —¡ay suerte
cruel!— rindió la inexorable muerte.   705
Criásteme en tu casa, porque luego
quedé también sin madre;
tú solo fuiste mi querido padre
y, en el confuso laberinto ciego
de mis fortunas tristes,   710
el hilo de oro que de luz me vistes.
Dísteme por hermano a Federico,
mi primo, en la crianza,
a cuya siempre honesta confianza

---

695. Aurora afirma que su consejo servirá de remedio a la decepción (*engaño*)
de Federico por no poder heredar el ducado de Ferrara y será al mismo tiempo del agrado (*afición*) del Duque.   697. *fiada*: 'confiada'.   703. *cierzo*: 'viento del norte'.   704-705. La muerte venció (*rindió*) al padre de Aurora cuando
éste tenía veinticinco años (*cinco lustros*).   706. *luego*: 'enseguida'; era el sentido que tenía esta palabra en el siglo XVII y así se emplea a lo largo de esta obra
(véanse, por ejemplo, los vv. 1160, 1184 o 1683).   709-711. Estos versos aluden
a la leyenda mitológica de Ariadna, quien entregó a su amado Teseo un ovillo
para que devanara el hilo en el interior del laberinto donde vivía el Minotauro
y así poder regresar a la entrada tras matar al monstruo. El Duque, por tanto,
fue para Aurora como un *hilo* de Ariadna con el que ella escapó de su infortunio y encontró la salida de su tristeza a la luz de una nueva vida; *fortunas*: aquí,
con el sentido de 'desdichas'.   713. *en la crianza*: 'durante mi educación'.

con dulce trato honesto amor aplico,   715
no menos dél querida,
viviendo entrambos una misma vida.
    Una ley, un amor, un albedrío,
una fe nos gobierna,
que con el matrimonio será eterna,   720
siendo yo suya y Federico mío;
que aun apenas la muerte
osará dividir lazo tan fuerte.
    Desde la muerte de mi padre amado
tiene mi hacienda aumento;   725
no hay en Italia agora casamiento
más igual a sus prendas y a su estado;
que yo, entre muchos grandes,
ni miro a España ni me aplico a Flandes.
    Si le casas conmigo, estás seguro   730
de que no se entristezca
de que Casandra sucesión te ofrezca,
sirviendo yo de su defensa y muro.
Mira si en este medio
promete mi consejo tu remedio.   735

DUQUE   Dame tus brazos, Aurora,
que en mi sospecha y recelo
eres la misma del cielo
que mi noche ilustra y dora.
    Hoy mi remedio amaneces,   740

---

717. *entrambos*: 'ambos'.   718. *albedrío*: 'voluntad'.   725. 'se han incrementa-
do mis posesiones', al heredar Aurora los títulos de su padre tras su muerte.
727. Se refiere Aurora a las cualidades (*prendas*) y la posición social (*estado*) de
Federico, lo que apunta a su concepción del matrimonio con su primo no sólo
como fruto de la pasión amorosa, sino como medio para lograr una posición social equilibrada de acuerdo con su rango social.   728. *grandes*: 'nobles del rango más alto dentro del estamento nobiliario'.   733. Aurora argumenta que, si
se casa con Federico, su matrimonio servirá de *defensa y muro* entre el Conde y
la sucesión que el Duque tuviera con Casandra.   734. *en este medio*: 'de esta manera'.   738. *la misma del cielo*: 'la aurora misma del cielo'.   739. *ilustra y dora*:
ambos términos significan aquí 'ilumina'.   740. 'hoy mi remedio me muestras'.

y en el sol de tu consejo
miro, como en claro espejo,
el que a mi sospecha ofreces.
　　Mi vida y honra aseguras,
y así, te prometo al Conde   745
si a tu honesto amor responde
la fe con que le procuras;
　　que bien creo que estarás
cierta de su justo amor,
como yo que tu valor,   750
Aurora, merece más.
　　Y así, pues vuestros intentos
conformes vienen a ser,
palabra te doy de hacer
juntos los dos casamientos.   755
　　Venga el Conde, y tú verás
qué día a Ferrara doy.

AURORA　　Tu hija y tu esclava soy;
no puedo decirte más.

Entre Batín

BATÍN　　Vuestra Alteza, gran señor,   760
reparta entre mí y el viento
las albricias, porque a entrambos
se las debe de derecho,
que no sé cuál de los dos
vino en el otro corriendo: 765
yo en el viento o él en mí;
él en mis pies, yo en su vuelo.
La Duquesa, mi señora,

---

743. 'el que ofreces a mi preocupación y temor (*mi sospecha*)'.   746. *responde*: 'corresponde'.   747. 'la firmeza con que lo solicitas'.   750. *valor*: 'virtud, cualidad personal'.   752. *intentos*: 'intenciones'.   762. *albricias*: 'regalos o dádivas que se hacen a quien trae una buena noticia'.   763. *de derecho*: 'de acuerdo con la ley'.

viene buena, y si primero
dijo la fama que el río,   770
con atrevimiento necio,
volvió el coche, no fue nada,
porque el Conde al mismo tiempo
llegó y la sacó en sus brazos,
con que las paces se han hecho   775
de aquella opinión vulgar:
que nunca bien se quisieron
los alnados y madrastras;
porque con tanto contento
vienen juntos que parecen   780
hijo y madre verdaderos.

DUQUE   Esa paz, Batín amigo,
es la nueva que agradezco,
y que traiga gusto el Conde,
fuera de ser nueva, es nuevo.   785
Querrá Dios que Federico,
con su buen entendimiento,
se lleve bien con Casandra.
En fin, ¿ya los dos se vieron,
y en tiempo que pudo hacerle   790
ese servicio?

BATÍN   Prometo
a Vuestra Alteza que fue
dicha de los dos.

AURORA   Yo quiero
que me des nuevas también.

BATÍN   ¡Oh Aurora, que a la del cielo   795
das ocasión con el nombre
para decirte concetos!
¿Qué me quieres preguntar?

---

769. *viene buena*: 'viene sana y salva'.   **785.** 'además de ser noticia, es algo no-vedoso'.   **795.** *a la del cielo*: referencia, por zeugma, a 'la aurora'.   **797.** *concetos*: 'agudezas y dichos ingeniosos'.

AURORA	Deseo de saber tengo
	si es muy hermosa Casandra. 800
BATÍN	Esa pregunta y deseo
	no era de Vuestra Excelencia,
	sino del Duque, mas pienso
	que entrambos sabéis por fama
	lo que repetir no puedo 805
	porque ya llegan.
DUQUE	Batín,
	ponte esta cadena al cuello.

Entren con grande acompañamiento y bizarría Rutilio, Floro,
Albano, Lucindo, el marqués Gonzaga, Federico, Casandra y
Lucrecia

FEDERICO	En esta güerta, señora,
	os tienen hecho aposento
	para que el Duque os reciba 810
	en tanto que disponiendo
	queda Ferrara la entrada,
	que a vuestros merecimientos
	será corta, aunque será
	la mayor que en estos tiempos 815
	en Italia se haya visto.
CASANDRA	Ya, Federico, el silencio
	me provocaba a tristeza.

---

804. *por fama*: 'por las noticias que os han llegado'.   **807.** La *cadena* (se entiende que de algún metal precioso) que el Duque entrega a Batín corresponde a las *albricias* (v. 762) solicitadas por el criado al comunicar la noticia de la llegada de Casandra.   **Acot.** *con grande acompañamiento*: 'con una gran comitiva'; *bizarría*: 'adorno, lucimiento, gala'.   **808.** *güerta*: 'huerta, jardín', según una variante de la pronunciación todavía en uso en el siglo XVII.   **809.** *aposento*: aquí, con el sentido de 'pabellón, lugar de descanso', dado que la acción tiene lugar en un espacio exterior.   **812.** *entrada*: 'acto de recibimiento público por parte de la ciudad', ya mencionado en el v. 116.   **813.** *a vuestros merecimientos*: 'para vuestros méritos'.   **814.** *corta*: 'insuficiente'.   **818.** *me provocaba a tristeza*: 'me causaba tristeza'.

FEDERICO	Fue de aquesta causa efeto.	
FLORO	Ya salen a recibiros	820
	el Duque y Aurora.	
DUQUE	El cielo,	
	hermosa Casandra, a quien	
	con toda el alma os ofrezco	
	estos estados, os guarde,	
	para su señora y dueño,	825
	para su aumento y su honor,	
	los años de mi deseo.	
CASANDRA	Para ser de Vuestra Alteza	
	esclava, gran señor, vengo;	
	que deste título solo	830
	recibe mi casa aumento;	
	mi padre, honor, y mi patria,	
	gloria, en cuya fe poseo	
	los méritos de llegar	
	a ser digna de los vuestros.	835
DUQUE	Dadme vos, señor Marqués,	
	los brazos, a quien hoy debo	
	prenda de tanto valor.	
MARQUÉS	En su nombre los merezco,	
	y por la parte que tuve	840
	en este alegre himineo,	
	pues hasta la ejecución	
	me sois deudor del concierto.	

---

819. *aquesta*: forma reforzada del adjetivo 'esta' (derivada del latín *eccum ista*). Federico explica a Casandra que el motivo de la aparente falta de recibimiento se debe a que los preparativos de la ciudad para celebrar su llegada están todavía en marcha.   827. 'tantos años como os deseo', con el sentido de 'durante mucho tiempo'.   831. *casa*: 'linaje'; *aumento*: 'mejora'.   833. *en cuya fe poseo*: 'con la confianza de que poseo'.   841. *himineo*: 'himeneo, casamiento', por vacilación de la vocal pretónica.   842-843. Se refiere el Marqués al acuerdo (*concierto*) que el Duque tenía con el padre de Casandra para casarse con ella. Hasta el momento en el que tenga lugar la boda y el acuerdo se consume (*la ejecución*), el Duque está obligado a cumplir su palabra de matrimonio, siendo el Marqués quien debe velar por ello (*me sois deudor*).

AURORA	Conoced, Casandra, a Aurora.	
CASANDRA	Entre los bienes que espero	845
	de tanta ventura mía	
	es ver, Aurora, que os tengo	
	por amiga y por señora.	
AURORA	Con serviros, con quereros	
	por dueño de cuanto soy,	850
	sólo responderos puedo.	
	Dichosa Ferrara ha sido,	
	¡oh Casandra!, en mereceros	
	para gloria de su nombre.	
CASANDRA	Con tales favores entro	855
	que ya en todas mis acciones	
	próspero fin me prometo.	
DUQUE	Sentaos porque os reconozcan	
	con debido amor mis deudos	
	y mi casa.	
CASANDRA	No replico;	860
	cuanto mandáis obedezco.	

Siéntense debajo de dosel el Duque y Casandra,
y el Marqués y Aurora

CASANDRA	¿No se sienta el Conde?	
DUQUE	No,	
	porque ha de ser el primero	
	que os ha de besar la mano.	
CASANDRA	Perdonad, que no consiento	865
	esa humildad.	
FEDERICO	Es agravio	
	de mi amor; fuera de serlo,	

---

846. *ventura*: 'dicha, felicidad'.   858. *os reconozcan*: 'os rindan pleitesía'.
Acot. Aquí el *dosel* es una 'cubierta ornamentada, en forma de techo de tela, que se coloca sobre sillas a modo de decoración'. Las sillas donde se sentarían los actores y el dosel que las cubriría podrían estar situados al fondo del escenario o quizá en uno de los laterales del tablado.   866. *humildad*: 'sumisión'.

es ir contra mi obediencia.

CASANDRA   Eso no.

FEDERICO   (¡Temblando llego!)

CASANDRA   Teneos.

FEDERICO   No lo mandéis.   870
Tres veces, señora, beso
vuestra mano: una por vos,
con que humilde me sujeto
a ser vuestro mientras viva,
destos vasallos ejemplo;   875
la segunda por el Duque,
mi señor, a quien respeto
obediente, y la tercera
por mí, porque no tiniendo
más por vuestra obligación   880
ni menos por su preceto,
sea de mi voluntad,
señora, reconoceros
que la que sale del alma,
sin fuerza de gusto ajeno,   885
es verdadera obediencia.

CASANDRA   De tan obediente cuello
sean cadena mis brazos.

DUQUE   Es Federico discreto.

MARQUÉS   Días ha, gallarda Aurora,   890
que los deseos de veros
nacieron de vuestra fama,
y a mi fortuna le debo
que tan cerca me pusiese
de vos, aunque no sin miedo,   895
para que sepáis de mí

---

870. *Teneos*: 'Deteneos'.   879. *tiniendo*: 'teniendo'.   881. *preceto*: 'mandato'.
885. 'sin imposición ajena a mi voluntad'. Federico reconoce a Casandra como
su señora de forma voluntaria, no por compromiso ni por cumplir la orden de
su padre.   889. *discreto*: 'agudo e inteligente en su conversación'.   890. *Días
ha*: 'Hace días'; *gallarda*: aquí, con el sentido de 'hermosa'.

	que, puesto que se cumplieron,	
	son mayores de serviros	
	cuando tan hermosa os veo.	
AURORA	Yo, señor Marqués, estimo	900
	ese favor como vuestro,	
	porque ya de vuestro nombre	
	—que por las armas eterno	
	será en Italia— tenía	
	noticia por tantos hechos;	905
	lo de galán ignoraba,	
	y fue ignorancia os confieso,	
	porque soldado y galán	
	es fuerza, y más en sujeto	
	de tal sangre y tal valor.	910
MARQUÉS	Pues haciendo fundamento	
	dese favor, desde hoy	
	me nombro vuestro, y prometo	
	mantener en estas fiestas	
	a todos los caballeros	915
	de Ferrara que ninguno	
	tiene tan hermoso dueño.	
DUQUE	Que descanséis es razón,	
	que pienso que entreteneros	
	es hacer la necedad	920
	que otros casados dijeron;	
	no diga el largo camino	
	que he sido dos veces necio,	

---

897. *puesto que*: en la época tenía el sentido de 'aunque', y así se utiliza en otros lugares de esta obra. **900.** *estimo*: 'agradezco'. **906.** 'ignoraba que fuerais galán'. **908-909.** *soldado y galán es fuerza*: 'es obligado que todo soldado sea también galán', afirmación que responde al ideal nobiliario de la época del perfecto caballero, valiente y galante al mismo tiempo. **911.** *haciendo fundamento*: 'basándome en'. **914.** *mantener*: 'sostener o defender una afirmación'. El lenguaje del marqués Gonzaga remite al propio de los caballeros que durante los torneos retaban a otros contrincantes para defender la primacía de sus respectivas damas. **923.** El Duque sería *dos veces necio* por hablar demasiado y dilatar el momento de estar a solas con Casandra.

y amor que no estimo el bien,
pues no le agradezco el tiempo.   925

Todos se entran con grandes cumplimientos
y quedan Federico y Batín

FEDERICO	¡Qué necia imaginación!
BATÍN	¿Cómo necia? ¿Qué tenemos?
FEDERICO	Bien dicen que nuestra vida

es sueño, y que toda es sueño,
pues que no sólo dormidos,   930
pero aun estando despiertos
cosas imagina un hombre
que al más abrasado enfermo
con frenesí no pudieran
llegar a su entendimiento.   935

BATÍN   Dices bien, que alguna vez
entre muchos caballeros
suelo estar y, sin querer,
se me viene al pensamiento
dar un bofetón a uno   940
o mordelle del pescuezo.
Si estoy en algún balcón,
estoy pensando y temiendo
echarme dél y matarme.
Si estoy en la iglesia oyendo   945

924-925. 'no me acuse el amor de no apreciar el bien que me ha concedido no agradeciéndole el tiempo de estar con ella'. **Acot.** *cumplimientos*: 'cortesías'. **926.** *imaginación*: aquí, con el sentido de 'pensamiento'. **928-935.** El motivo de la vida como sueño cuenta con una larguísima trayectoria en la tradición literaria y filosófica europea. Este tópico disfrutó de una especial fortuna en el Barroco por la sensación vital que caracterizó a diversos autores de la época de que los límites entre lo ilusorio y lo real eran mucho más difusos de lo que aparentaban ser. **933-934.** El *frenesí* era el nombre dado a un delirio furioso o locura que en la época se creía causado por una fiebre elevada (de ahí que se hable de un *abrasado enfermo*). **941.** 'o morderle en la nuca'. **945-947.** Batín le diría al predicador que su *sermón* no era original, sino plagio de uno que ya ha-

algún sermón, imagino
que le digo que está impreso.
Dame gana de reír
si voy en algún entierro,
y si dos están jugando,   950
que les tiro el candelero.
Si cantan, quiero cantar,
y si alguna dama veo,
en mi necia fantasía
asirla del moño intento,   955
y me salen mil colores,
como si lo hubiera hecho.

FEDERICO   ¡Jesús! ¡Dios me valga! ¡Afuera,
desatinados conceptos
de sueños despiertos! ¿Yo   960
tal imagino, tal pienso,
tal me prometo, tal digo,
tal fabrico, tal emprendo?
¡No más, estraña locura!

BATÍN   ¿Pues tú para mí secreto?   965

FEDERICO   Batín, no es cosa que hice,
y así nada te reservo;
que las imaginaciones
son espíritus sin cuerpo.
Lo que no es ni ha de ser   970
no es esconderte mi pecho.

BATÍN   Y si te lo digo yo,
¿negarásmelo?

FEDERICO   Primero

---

bía sido publicado. Fue frecuente en los siglos XVI y XVII la impresión de ser-
mones, sueltos o recopilados en sermonarios, destinados a la lectura edifican-
te.   **951.** *candelero*: 'utensilio, generalmente de metal, que se emplea para sostener una vela'.   **959.** *desatinados conceptos*: 'absurdas ideas'.   **962.** *me prometo*:
'espero'.   **963.** *fabrico*: 'invento'.   **970-971.** 'no te oculto mi pensamiento si no
te hablo de algo que, simplemente, no ha sucedido ni sucederá'.   **973.** *Primero*: 'Antes de'.

	que puedas adivinarlo	
	habrá flores en el cielo,	975
	y en este jardín estrellas.	
BATÍN	Pues mira cómo lo acierto:	
	que te agrada tu madrastra	
	y estás entre ti diciendo...	
FEDERICO	¡No lo digas! Es verdad,	980
	pero yo ¿qué culpa tengo,	
	pues el pensamiento es libre?	
BATÍN	Y tanto, que por su vuelo	
	la inmortalidad del alma	
	se mira como en espejo.	985
FEDERICO	Dichoso es el Duque.	
BATÍN	Y mucho.	
FEDERICO	Con ser imposible, llego	
	a estar envidioso dél.	
BATÍN	Bien puedes, con presupuesto	
	de que era mejor Casandra	990
	para ti.	
FEDERICO	Con eso puedo	
	morir de imposible amor	
	y tener posibles celos.	

975-976. Las palabras de Federico relacionan, muy apropiadamente, su amor imposible hacia su madrastra con la subversión del orden de la naturaleza. 983-985. La libertad del pensamiento (*su vuelo*) es un reflejo (*como en espejo*) del libre albedrío que caracteriza el *alma inmortal* del ser humano.   989. *con presupuesto*: 'si se presupone'.

ACTO SEGUNDO

Casandra y Lucrecia

LUCRECIA	Con notable admiración	
	me ha dejado Vuestra Alteza.	995
CASANDRA	No hay altezas con tristeza,	

y más si bajezas son.
Más quisiera, y con razón,
ser una ruda villana
que me hallara la mañana   1000
al lado de un labrador
que desprecio de un señor
en oro, púrpura y grana.
¡Pluguiera a Dios que naciera
bajamente, pues hallara   1005
quien lo que soy estimara
y a mi amor correspondiera!
En aquella humilde esfera,
como en las camas reales,

Acot. A partir de esta escena y hasta el final de la obra, la acción se desarrolla en el interior del palacio ducal de Ferrara, en claro contraste con los distintos espacios abiertos del primer acto.   **994.** *admiración*: 'perplejidad'.   **1000.** *que*: 'a la que'.   **1002.** Este verso presenta alguna dificultad: en el manuscrito autógrafo figura como *que de un desprecio de un señor*, con el sentido de 'señor de un desprecio', es decir, que Casandra prefiere ser una villana a ser una señora de algo que se menosprecia. Esta interpretación implica que Casandra se refiere a sí misma en masculino, algo posible en la lengua de la época, pero no muy usual. La variante que aquí se incluye procede de las ediciones impresas del siglo XVII, la cual clarifica enormemente el pasaje: Casandra prefiere ser una villana feliz a ser el desprecio de un señor, por muy importante que éste sea.   **1003.** *grana*: 'color rojo oscuro, casi morado', asociado simbólicamente al poder de la realeza y la nobleza, como el *oro* y el *púrpura*.   **1004.** *Pluguiera a Dios*: 'Quisiera Dios'.   **1005.** *bajamente*: 'de condición humilde'.   **1008.** *esfera*: 'condición social'.

se gozan contentos tales   1010
que no los crece el valor,
si los efetos de amor
son en las noches iguales.

  No los halla a dos casados
el sol, por las vedrieras   1015
de cristal, a las primeras
luces del alba, abrazados
con más gusto, ni en dorados
techos más descanso halló;
que tal vez su rayo entró,   1020
del aurora a los principios,
por mal ajustados ripios
y un alma en dos cuerpos vio.

  Dichosa la que no siente
un desprecio autorizado   1025
y se levanta del lado
de su esposo alegremente;
la que en la primera fuente
mira y lava —¡oh cosa rara!—
con las dos manos la cara,   1030
y no en llanto, cuando fue
mujer de un hombre sin fe,
con ser duque de Ferrara.

  Sola una noche le vi

1011. 'que no aumentan por pertenecer a una posición social elevada'. **1015.** *vedrieras*: 'vidrieras'. **1019.** El sujeto de *halló* es *el sol* del v. 1015. **1022.** *ripios*: 'fragmentos de ladrillos o piedras que se utilizan para rellenar huecos de las paredes'. **1023.** Según las teorías sobre el amor vigentes en el siglo XVII, basadas en la tradición del amor cortés y en el neoplatonismo renacentista, las almas de los amantes se transformaban en una sola como consecuencia de su amor recíproco. **1025.** *autorizado*: 'enorme'. **1028.** *la primera fuente*: Casandra alude a las fuentes naturales que en la literatura de la época se asociaban al ambiente campestre. **1032.** *sin fe*: 'sin palabra, sin honor'. **1034-1035.** 'En un mes solamente lo he visto una noche a solas entre mis brazos'. Con estas palabras Casandra informa a su criada —y al público— de que el matrimonio se ha consumado, por lo que es legal y canónicamente válido, aunque se queja del abandono que sufre desde entonces.

en mis brazos en un mes, 1035
y muchas le vi después
que no quiso verme a mí;
pero de que viva ansí
¿cómo me puedo quejar,
pues que me pudo enseñar 1040
la fama que quien vivía
tan mal no se enmendaría,
aunque mudase lugar?
  Que venga un hombre a su casa
cuando viene al mundo el día, 1045
que viva a su fantasía,
por libertad de hombre pasa;
¿quién puede ponerle tasa?
Pero que con tal desprecio
trate una mujer de precio, 1050
de que es casado olvidado,
o quiere ser desdichado
o tiene mucho de necio.
  El Duque debe de ser
de aquellos cuya opinión, 1055
en tomando posesión,
quieren en casa tener
como alhaja la mujer,
para adorno, lustre y gala,
silla o escritorio en sala, 1060
y es término que condeno,

1043. 'aunque fuese a vivir a otra parte'. Estos versos remiten a una sentencia moral bien conocida en los Siglos de Oro que se remonta a un verso de Horacio (*Epistulae*, I, II, v. 27): no basta con marcharse a vivir a otra parte para que una persona mejore, sino que ésta debe esforzarse en cambiar su actitud y costumbres. 1046. 'que viva a su aire, con libertad'. 1047. 'se tolera como una prerrogativa propia de los hombres'. 1048. *tasa*: aquí, con el sentido de 'límite'. 1050. *precio*: 'gran valía y estimación'. 1055. *de aquellos cuya opinión*: debe entenderse 'de aquellos cuya opinión es que'. 1056. 'al tomar posesión del hogar tras la boda'. 1058. *alhaja*: 'los muebles y adornos que decoran y ornamentan las habitaciones de una casa'. 1059. *lustre*: 'esplendor'; *gala*: 'bizarría'. 1061. *término*: 'conducta'.

porque con marido bueno,
¿cuándo se vio mujer mala?
La mujer de honesto trato
viene para ser mujer   1065
a su casa, que no a ser
silla, escritorio o retrato.
Basta ser un hombre ingrato,
sin que sea descortés,
y es mejor, si causa es   1070
de algún pensamiento estraño,
no dar ocasión al daño
que remediarle después.

LUCRECIA   Tu discurso me ha causado
lástima y admiración,   1075
que tan grande sinrazón
puede ponerte en cuidado.
¿Quién pensara que casado
fuera el Duque tan vicioso
o que, no siendo amoroso,   1080
cortés, como dices, fuera,
con que tu pecho estuviera
para el agravio animoso?
En materia de galán
puédese picar con celos,   1085
y dar algunos desvelos
cuando dormidos están:

1064. *trato*: 'comportamiento'.   **1068-1069.** Es decir, puesto que el Duque es *ingrato* al no amar a Casandra, al menos no debería mostrarse también *descortés* menospreciándola con sus aventuras.   **1077.** *ponerte en cuidado*: 'causarte preocupación'.   **1083.** 'con ánimo para soportar la afrenta'. En opinión de Lucrecia, Casandra toleraría mejor el desamor del Duque si al menos éste le mostrara respeto.   **1085.** Lucrecia explica a su señora que su situación podría solucionarse si estuvieran hablando de un pretendiente o *galán*, pudiéndole provocar celos (*picar con celos*) para renovar su interés, estrategia amorosa que, sin embargo, no se emplea cuando se trata de despertar la pasión en el marido, pues se supone que ya no compite con otros por su amor.   **1086.** *desvelos*: 'preocupaciones amorosas'.   **1087.** *dormidos*: 'desatentos hacia sus damas', y con igual sentido en el v. 1091.

el desdén, el ademán,
la risa con quien pasó,
alabar al que la habló,   1090
con que despierta el dormido;
pero celos a marido,
¿quién en el mundo los dio?
    ¿Hale escrito Vuestra Alteza
a su padre estos enojos?   1095

CASANDRA No, Lucrecia, que mis ojos
sólo saben mi tristeza.

LUCRECIA Conforme a naturaleza
y a la razón, mejor fuera
que el Conde te mereciera,   1100
y que, contigo casado,
asegurando su estado,
su nieto le sucediera;
    que aquestas melancolías
que trae el Conde no son,   1105
señora, sin ocasión.

CASANDRA No serán sus fantasías,
Lucrecia, de envidias mías,
ni yo hermanos le daré;
con que Federico esté   1110
seguro que no soy yo
la que la causa le dio:
desdicha de entrambos fue.

1089. Entiéndase: 'las risas que tuvo conversando con la persona con quien paseó'.   **1103.** *su nieto*: entiéndase 'el nieto del Duque'.   **1104.** Las teorías médicas de la época consideraban la *melancolía* como una enfermedad patológica basada en causas físicas y psíquicas, relacionadas sobre todo con el mal de amores, pues consideraban que la pasión llegaba a producir fiebre en la sangre.   **1106.** *sin ocasión*: 'sin motivo, sin causa'.   **1108.** *de envidias mías*: 'de envidia de mí'.

El Duque y Federico y Batín

DUQUE   Si yo pensara, Conde, que te diera
                 tanta tristeza el casamiento mío,   1115
                 antes de imaginarlo me muriera.

FEDERICO   Señor, fuera notable desvarío
                 entristecerme a mí tu casamiento,
                 ni de tu amor por eso desconfío.
                 Advierta, pues, tu claro
                                [entendimiento   1120
                 que, si del casamiento me pesara,
                 disimular supiera el descontento.
                 La falta de salud se ve en mi cara,
                 pero no la ocasión.

DUQUE   Mucho presumen
                 los médicos de Mantua y de Ferrara,   1125
                 y todos finalmente se resumen
                 en que casarte es el mejor remedio
                 en que tales tristezas se consumen.

FEDERICO   Para doncellas era mejor medio,
                 señor, que para un hombre de mi
                                [estado;   1130
                 que no por esos medios me remedio.

CASANDRA   (Aun apenas el Duque me ha mirado.
                 ¡Desprecio estraño y vil descortesía!)

LUCRECIA   (Si no te ha visto, no fuera culpado.)

CASANDRA   (Fingir descuido es brava tiranía.   1135
                 Vamos, Lucrecia, que, si no me engaño,
                 deste desdén le pesará algún día.)

Acot. Los actores saldrían a escena por una de las puertas laterales situadas al
fondo del escenario, mientras que las actrices que interpretaran a Casandra y
Lucrecia estarían en el lado opuesto del tablado, de modo que ambos grupos de
actores no llegaran a encontrarse durante el desarrollo del cuadro. **1120.** 'Tenga en cuenta, considere'. **1121.** 'que si me entristeciera por el casamiento'.
1126. 'concluyen'. **1127-1128.** La concepción del matrimonio como remedio
para curar las penas del alma, especialmente en el caso de la melancolía, era un
tópico corriente en la literatura del siglo XVII.

Vanse las dos

DUQUE   Si bien de la verdad me desengaño,
                     yo quiero proponerte un casamiento
                     ni lejos de tu amor ni en reino estraño.   1140
FEDERICO   ¿Es por ventura Aurora?
DUQUE   El pensamiento
                     me hurtaste al producirla por los labios,
                     como quien tuvo el mismo sentimiento.
                     Yo consulté los más ancianos sabios
                     del magistrado nuestro y todos vienen   1145
                     en que esto sobredora tus agravios.
FEDERICO   ¡Poca esperiencia de mi pecho tienen!
                     Neciamente me juzgan agraviado,
                     pues sin causa ofendido me previenen.
                     Ellos saben que nunca reprobado   1150
                     tu casamiento de mi voto ha sido;
                     antes por tu sosiego deseado.
DUQUE   Así lo creo y siempre lo he creído,
                     y esa obediencia, Federico, pago
                     con estar de casarme arrepentido.   1155
FEDERICO   Señor, porque no entiendas que yo
                                                    [hago
                     sentimiento de cosa que es tan justa,
                     y el amor que me muestras satisfago,

Acot. Las dos actrices abandonarían el tablado por la puerta situada al fondo del escenario que quedara más alejada de donde estuvieran los actores que interpretaran a Federico, el Duque y Batín.   **1138.** 'Aunque reconozco mi error respecto a lo que creía que era la verdadera causa de tu tristeza'. El Duque afirma que, pese a asegurarle Federico que su matrimonio con Casandra no es la causa de su mal, sigue con la idea de casarlo para poner fin a su melancolía.   **1142.** *al producirla por los labios*: 'al nombrarla'.   **1143.** *sentimiento*: 'emoción del alma', con el sentido de 'como quien pensó lo mismo'.   **1145.** *magistrado*: 'consejo, asamblea de sabios'; *vienen*: 'convienen'.   **1146.** *sobredora*: 'cubre de oro', con el sentido metafórico de 'hace más soportables, compensa'.   **1147.** *Poca esperiencia*: 'Poco conocimiento'; *pecho*: 'ánimo'.   **1149.** *me previenen*: 'me juzgan, me consideran'.   **1151.** *voto*: 'opinión'.   **1156-1157.** *hago sentimiento*: 'me enfado'.

sabré primero si mi prima gusta,
y luego, disponiendo mi obediencia   1160
—pues lo contrario fuera cosa injusta—,
haré lo que me mandas.

DUQUE   Su licencia
tengo firmada de su misma boca.

FEDERICO   Yo sé que hay novedad de cierta ciencia,
y que, porque a servirla le provoca,   1165
el Marqués en Ferrara se ha quedado.

DUQUE   Pues eso, Federico, ¿qué te toca?

FEDERICO   Al que se ha de casar le da cuidado
el galán que ha servido, y aun enojos,
que es escribir sobre papel borrado.   1170

DUQUE   Si andan los hombres a mirar antojos,
encierren en castillos las mujeres,
desde que nacen, contra tantos ojos;
que el más puro cristal, si verte quieres,
se mancha del aliento; mas ¿qué importa   1175
si del mirar escrupuloso eres?,
pues luego que se limpia y se reporta,
tan claro queda como estaba de antes.

FEDERICO   Muy bien tu ingenio y tu valor me exhorta.
Señor, cuando centellas rutilantes   1180
escupe alguna fragua y el que fragua

1164. *de cierta ciencia*: 'con certeza, con seguridad'.   1165. *a servirla le provoca*: 'a galantearla lo incita'.   1167. *¿qué te toca?*: '¿qué te importa?'.   1170. Se compara el cortejar a una mujer que ya ha sido solicitada por otro hombre con escribir en una hoja usada, donde ya se ha escrito y *borrado* algo con anterioridad. Con este símil Federico pretende arrojar dudas sobre el honor de su prima al considerar que todavía puede quedar en ella la huella de un amor anterior.   1171. *mirar antojos*: 'considerar ideas sin fundamento'.   1173. *contra tantos ojos*: 'para impedir que los ojos de los hombres puedan verlas'.   1174. *cristal*: 'espejo'.   1177. *se reporta*: 'se recupera su antiguo estado'.   1178. *de antes*: 'anteriormente'. La metáfora del espejo empleada por el Duque remite a la equiparación que en la época se hacía entre el *honor* y el *cristal* por la fragilidad de ambos, pero en este caso se invierte el tópico tradicional al afirmar el Duque que tanto el uno como el otro pueden recuperar fácilmente su antiguo estado de pulcritud sin que ello suponga ningún inconveniente.   1180. 'resplandecientes'.

quiere apagar las llamas resonantes,
    moja las brasas de la ardiente fragua;
pero, rebeldes ellas, crecen luego,
y arde el fuego voraz lamiendo el agua.   1185
    Así un marido, del amante ciego,
tiempla el deseo y la primera llama,
pero puede volver más vivo el fuego;
    y así, debo temerme de quien ama,
que no quiero ser agua que le aumente,   1190
dando fuego a mi honor y humo a mi fama.

DUQUE   Muy necio, Conde, estás, y impertinente.
Hablas de Aurora cual si noche fuera,
con bárbaro lenguaje y indecente.

FEDERICO   ¡Espera!

DUQUE   ¿Para qué?

Vase

FEDERICO   ¡Señor, espera!   1195

BATÍN   ¡Oh, qué bien has negociado
la gracia del Duque!

FEDERICO   Espero
su desgracia, porque quiero
ser en todo desdichado;
    que mi desesperación   1200
ha llegado a ser de suerte
que sólo para la muerte
me permite apelación.
    Y, si muriera, quisiera
poder volver a vivir   1205
mil veces para morir

1186. *del amante ciego*: 'desconocedor de la existencia de un amante previo'.
1187. *tiempla*: 'templa'.   1189. *debo temerme*: 'debo sospechar'.   1194. *bárba-ro*: 'grosero'.   1198. *su desgracia*: 'la enemistad del Duque', juego de palabras basado en la referencia de Batín a la *gracia* ('favor') del verso anterior.

cuantas a vivir volviera.
    Tal estoy que no me atrevo
ni a vivir ni a morir ya,
por ver que el vivir será   1210
volver a morir de nuevo.
    Y si no soy mi homicida,
es por ser mi mal tan fuerte
que, porque es menor la muerte,
me dejo estar con la vida.   1215

BATÍN   Según eso, ni tú quieres
vivir, Conde, ni morir;
que entre morir y vivir
como hermafrodita eres,
    que como aquél se compone   1220
de hombre y mujer, tú de muerte
y vida; que de tal suerte
la tristeza te dispone
    que ni eres muerte ni vida.
Pero, ¡por Dios!, que, mirado   1225
tu desesperado estado,
me obligas a que te pida
    o la razón de tu mal
o la licencia de irme
a donde que fui confirme   1230
desdichado por leal.
    Dame tu mano.

FEDERICO   Batín,
si yo decirte pudiera
mi mal, mal posible fuera,
y mal que tuviera fin;   1235

1219. La figura del andrógino o *hermafrodita* ('persona con ambos sexos') se basa en el personaje de la mitología griega Hermafrodito, cuyo cuerpo se fundió con el de una ninfa y se convirtió en un ser con doble sexo.   **1229-1231.** Entiéndase: 'te pido la licencia para irme a donde confirme que fui desdichado por ser leal'.   **1232.** Batín pide a su señor poder besarle la mano como gesto de afecto y despedida.

pero la desdicha ha sido
que es mi mal de condición
que no cabe en mi razón,
sino sólo en mi sentido;
   que, cuando por mi consuelo   1240
voy a hablar, me pone en calma
ver que de la lengua al alma
hay más que del suelo al cielo.
   Vete, si quieres, también
y déjame solo aquí   1245
porque no haya cosa en mí
que aun tenga sombra de bien.

Entren Casandra y Aurora

CASANDRA   ¿Deso lloras?
AURORA   ¿Le parece
a Vuestra Alteza, señora,
sin razón, si el Conde agora   1250
me desprecia y aborrece?
   Dice que quiero al marqués
Gonzaga. ¿Yo a Carlos? ¿Yo?
¿Cuándo? ¿Cómo? Pero no,
que ya sé lo que esto es: 1255
   él tiene en su pensamiento
irse a España, despechado
de ver su padre casado;
que antes de su casamiento
   la misma luz de sus ojos   1260
era yo, pero ya soy
quien en los ojos le doy,

1237. *de condición*: 'de tal condición o manera'.   1238-1239. Federico afirma que el mal que siente no es racional (*no cabe en mi razón*) ni, por lo tanto, inteligible, sino que reside en sus deseos y apetitos (*mi sentido*).   1241. *me pone en calma*: 'me deja en suspenso, me silencia'.   1262. 'quien le causa disgusto', como la luz que da en los ojos y molesta.

y mis ojos sus enojos.
    ¿Qué aurora nuevas del día
trujo al mundo sin hallar   1265
al Conde donde a buscar
la de sus ojos venía?
    ¿En qué jardín, en qué fuente
no me dijo el Conde amores?
¿Qué jazmines o qué flores   1270
no fueron mi boca y frente?
    ¿Cuándo de mí se apartó?
¿Qué instante vivió sin mí?
o ¿cómo viviera en sí,
si no le animara yo?   1275
    Que tanto el trato acrisola
la fe de amor que de dos
almas que nos puso Dios
hicimos un alma sola.
    Esto desde tiernos años,   1280
porque con los dos nació
este amor que hoy acabó
a manos de sus engaños.
    ¡Tanto pudo la ambición
del estado que ha perdido!   1285
CASANDRA Pésame de que haya sido,
Aurora, por mi ocasión,
    pero tiempla tus desvelos
mientras voy a hablar con él,
si bien es cosa cruel   1290

1264-1267. '¿Qué aurora trajo (*trujo*) la llegada de un nuevo día sin encontrar al Conde buscando a la aurora de sus ojos, es decir, a Aurora?'.   **1270-1271.** Aurora alude a comparaciones tópicas empleadas en el lenguaje amoroso de la época para alabar la belleza femenina.   **1275.** 'si no le infundiera vida y vigor'. De acuerdo con la concepción del amor en la época, el amante infundía fuerzas vivificadoras en la persona amada.   **1276-1279.** 'El trato cotidiano purifica (*acrisola*) tanto la firmeza del amor (*la fe de amor*) que de nuestras dos almas hicimos una sola'.   **1290.** *cruel*: aquí, con el sentido de 'difícil'.

                    poner en razón los celos.
AURORA   ¿Yo celos?
CASANDRA   Con el Marqués,
                    dice el Duque.
AURORA   Vuestra Alteza
                    crea que aquella tristeza
                    ni es amor ni celos es.   1295

                    Vase Aurora

CASANDRA   ¡Federico!
FEDERICO   Mi señora,
                    dé Vuestra Alteza la mano
                    a su esclavo.
CASANDRA   ¿Tú en el suelo?
                    Conde, no te humilles tanto,
                    que te llamaré Excelencia.   1300
FEDERICO   Será de mi amor agravio;
                    ni me pienso levantar
                    sin ella.
CASANDRA   Aquí están mis brazos.
                    ¿Qué tienes? ¿Qué has visto en mí?
                    ¡Parece que estás temblando!   1305
                    ¿Sabes ya lo que te quiero?
FEDERICO   El haberlo adivinado
                    el alma lo dijo al pecho,
                    el pecho al rostro, causando
                    el sentimiento que miras.   1310

1291. *poner en razón*: 'apaciguar'.   1298. El actor que interpretara a Federico se arrodillaría con intención de besar la mano de su madrastra en señal de respeto y de sumisión. Nótese también cómo Casandra ha pasado a tutearlo. 1300. El tratamiento de *Excelencia* estaba reservado para la alta nobleza. De ahí que Casandra amenace cortésmente a Federico con dirigirse a él así para que no pueda humillarse delante de ella, pues tal gesto sería indigno de su posición social.   1303. *sin ella*: 'sin tu mano'.   1310. El *sentimiento* de Federico es el 'rubor' que le producen en el rostro las palabras de Casandra y que refleja la al-

CASANDRA   Déjanos solos un rato,
             Batín, que tengo que hablar
             al Conde.
BATÍN   (¡El Conde, turbado,
             y hablarle Casandra a solas!
             No lo entiendo.)

                        Vase

FEDERICO   (¡Ay cielo! En tanto   1315
             que muero fénix, poned
             a tanta llama descanso,
             pues otra vida me espera.)
CASANDRA   Federico, aunque reparo
             en lo que me ha dicho Aurora   1320
             de tus celosos cuidados,
             después que vino conmigo
             a Ferrara el marqués Carlos,
             por quien de casarte dejas,
             apenas me persuado   1325
             que tus méritos desprecies,
             siendo, como dicen sabios,
             desconfianza y envidia;
             que más tiene de soldado
             —aunque es gallardo el Marqués—   1330
             que de galán cortesano.
             De suerte que lo que pienso
             de tu tristeza y recato
             es, porque el Duque, tu padre,
             se casó conmigo, dando   1335
             por ya perdida tu acción,

---

teración que siente en su alma. **1313.** *turbado*: 'alterado'. **1316.** El ave *fénix* era un ser mitológico que procedía de Arabia y fallecía envuelto en llamas para renacer de sus propias cenizas. Federico pide al cielo que sosiegue el fuego de su amor para que no lo consuma, pues ha de resucitar y sufrirlo de nuevo. **1333.** *recato*: 'cautela'. **1336.** *acción*: 'derecho'.

a la luz del primer parto,
que a sus estados tenías,
y siendo así, que yo causo
tu desasosiego y pena.　　　　　　　　1340
Desde aquí te desengaño,
que puedes estar seguro
de que no tendrás hermanos,
porque el Duque solamente
por cumplir con sus vasallos　　　　　1345
este casamiento ha hecho;
que sus viciosos regalos
–por no les dar otro nombre–
apenas el breve espacio
de una noche –que a su cuenta　　　　1350
fue cifra de muchos años–
mis brazos le permitieron;
que a los deleites pasados
ha vuelto con mayor furia,
roto el freno de mis brazos.　　　　　1355
Como se suelta al estruendo
un arrogante caballo
del atambor –porque quiero
usar de término casto–,
que del bordado jaez　　　　　　　　　1360
va sembrando los pedazos,
allí las piezas del freno
vertiendo espumosos rayos,

1341. *aquí*: 'ahora'.　**1347.** *regalos*: 'gustos', esto es, la lascivia del Duque.　**1350.** *a su cuenta*: 'a su parecer, en su opinión'.　**1351.** *cifra*: 'compendio'. Casandra opina que la noche de bodas se le hizo eterna al Duque y se cansó de ella tanto como si llevaran varios años juntos.　**1357.** *arrogante*: aquí, con el sentido de 'bravo, brioso'.　**1358.** *atambor*: 'tambor'.　**1359.** El *término casto* es la metáfora del caballo desbocado que desarrolla Casandra para describir las infidelidades de su esposo y la deshonra que ello ocasiona.　**1360.** *jaez*: 'adorno que se coloca en la montura'.　**1361-1363.** Entiéndase: 'el caballo esparce fragmentos del hierro colocado en su boca para dirigir el *freno*, los cuales están envueltos en la blanca espuma de su boca y, lanzados así, parecen *espumosos rayos*'.

allí la barba y la rienda,
allí las cintas y lazos;   1365
así el Duque, la obediencia
rota al matrimonio santo,
va por mujercillas viles
pedazos de honor sembrando:
allí se deja la fama;   1370
allí los laureles y arcos,
los títulos y los nombres
de sus ascendientes claros;
allí el valor, la salud
y el tiempo tan mal gastado,   1375
haciendo las noches días
en estos indignos pasos;
con que sabrás cuán seguro
estás de heredar su estado,
o escribiendo yo a mi padre   1380
que es, más que esposo, tirano,
para que me saque libre
del Argel de su palacio,
si no anticipa la muerte
breve fin a tantos daños.   1385

FEDERICO   Comenzando Vuestra Alteza
riñéndome, acaba en llanto
su discurso, que pudiera
en el más duro peñasco
imprimir dolor. ¿Qué es esto?   1390
Sin duda que me ha mirado
por hijo de quien la ofende,

1364. *barba*: probablemente Lope se refiere a la barbada, 'cadenilla que sujeta el freno del caballo'.   1371. La corona de *laureles* y los *arcos* triunfales eran símbolos de la grandeza de los héroes, pues se asociaban con las entradas triunfales que en la época clásica se celebraban en Roma tras las victorias militares.   1373. *claros*: 'ilustres, famosos'.   1383. *Argel*: metafóricamente significa 'prisión'. En los siglos XVI y XVII, esta ciudad del norte de África fue cárcel de numerosos españoles cautivados por corsarios berberiscos.   1390. *imprimir*: 'causar'.

pero yo la desengaño
que no parezca hijo suyo
para tan injustos casos.   1395
Esto persuadido ansí,
de mi tristeza me espanto
que la atribuyas, señora,
a pensamientos tan bajos.
¿Ha menester Federico,   1400
para ser quien es, estados?
¿No lo son los de mi prima
si yo con ella me caso
o, si la espada por dicha
contra algún príncipe saco   1405
destos confinantes nuestros,
los que le quitan restauro?
No procede mi tristeza
de interés, y aunque me alargo
a más de lo que es razón,   1410
sabe, señora, que paso
una vida la más triste
que se cuenta de hombre humano
desde que Amor en el mundo
puso las flechas al arco.   1415
Yo me muero sin remedio;
mi vida se va acabando
como vela, poco a poco,
y ruego a la muerte en vano

1394. La conjunción *que* se usa aquí con sentido final ('para'). 1396-1399. 'Aceptado lo que he dicho, me asombra que pienses que mi tristeza se debe a motivos tan bajos como los que has expuesto'. 1400. *Ha menester*: 'Necesita'. 1404. *por dicha*: 'acaso'. 1406. *confinantes*: 'limítrofes'. 1411. *sabe*: 'has de saber', se trata de la segunda persona del singular del imperativo. 1415. En la mitología clásica el dios Amor era representado como un niño travieso que llevaba un *arco* y un carcaj con *flechas* de oro y plomo, las cuales infundían *amor* y rechazo respectivamente en las personas que eran heridas por ellas. 1418. La vela como metáfora del amante que se consume en su amor era un motivo habitual en el lenguaje amoroso de la época.

1420

que no aguarde a que la cera
llegue al último desmayo,
sino que, con breve soplo,
cubra de noche mis años.

CASANDRA   Detén, Federico ilustre,
las lágrimas, que no ha dado   1425
el cielo el llanto a los hombres,
sino el ánimo gallardo.
Naturaleza el llorar
vinculó por mayorazgo
en las mujeres, a quien,   1430
aunque hay valor, faltan manos;
no en los hombres, que una vez
sola pueden, y es en caso
de haber perdido el honor,
mientras vengan el agravio.   1435
¡Mal haya Aurora y sus celos,
que un caballero bizarro,
discreto, dulce y tan digno
de ser querido a un estado
ha reducido tan triste!   1440

FEDERICO   No es Aurora, que es engaño.

CASANDRA   Pues ¿quién es?

FEDERICO   El mismo sol,
que desas auroras hallo
muchas siempre que amanece.

CASANDRA   ¿Que no es Aurora?

FEDERICO   Más alto   1445

1421. *al último desmayo*: 'al último suspiro de la llama'.   **1428-1430.** 'La naturaleza asoció el lloro con las mujeres de manera exclusiva, como si fuera una herencia (*mayorazgo*)'.   **1431.** *faltan manos*: 'faltan vigor y fortaleza física'.
1432-1435. Según la mentalidad tradicional de la época, el *honor* era el bien más preciado de las personas. De ahí que la pérdida del mismo hiciera permisible que un hombre pudiera *llorar*.   **1436.** *Mal haya*: 'Malditos sean'.   **1437.** *bizarro*: 'valiente y galán'.   **1438.** *discreto*: 'con buen juicio'.   **1441.** *es engaño*: entiéndase 'es un error pensar que Aurora es la causa de mi tristeza'.

	vuela el pensamiento mío.
CASANDRA	¡Mujer te ha visto y hablado,

y tú le has dicho tu amor,
que puede con pecho ingrato
corresponderte! ¿No miras   1450
que son efetos contrarios,
y proceder de una causa
parece imposible?

FEDERICO   Cuando
supieras tú el imposible,
dijeras que soy de mármol,   1455
pues no me matan mis penas,
o que vivo de milagro.
¿Qué Faetonte se atrevió
del sol al dorado carro,
o aquél que juntó con cera   1460
débiles plumas infausto,
que, sembradas por los vientos,
pájaros que van volando
las creyó el mar hasta verlas
en sus cristales salados?   1465
¿Qué Belerofonte vio

1447-1453. La conversación de Federico con una dama ha provocado su amor hacia ella, pero también sufrir su desdén. La teoría aristotélica a la que se refiere Casandra, adaptada posteriormente por San Agustín, establecía que, en la mayoría de situaciones, una causa no podía producir efectos contrarios. 1454. Nótese cómo es ahora Federico quien pasa a usar el tuteo al dirigirse a Casandra.   1458-1470. Federico ejemplifica la audacia de su amor con una serie de referencias a personajes intrépidos de la mitología clásica cuyas acciones se caracterizan por la violencia o por terminar de forma trágica para ellos, por lo que funcionan como augurio de las consecuencias que tendrá la osadía de Federico de desear a Casandra. El primer ejemplo es el de *Faetonte*, quien se atrevió a tomar las riendas del *carro* del *sol* y fue fulminado por un rayo de Zeus (como se ha explicado en la nota a los vv. 564-572). Ícaro escapó volando de la isla de Creta usando alas hechas de plumas unidas con cera, pero su entusiasmo hizo que se elevara demasiado y se acercara al sol, que derritió la cera y precipitó al joven al mar, donde murió ahogado. *Belerofonte*, hijo del dios Poseidón, intentó alcanzar a lomos del caballo alado *Pegaso* la cima del monte Olimpo, donde residían

                    en el caballo Pegaso
                    parecer el mundo un punto
                    del círculo de los astros?
                    ¿Qué griego Sinón metió   1470
                    aquel caballo preñado
                    de armados hombres en Troya,
                    fatal de su incendio parto?
                    ¿Qué Jasón tentó primero
                    pasar el mar temerario,   1475
                    poniendo yugo a su cuello
                    los pinos y lienzos de Argos,
                    que se iguale a mi locura?
CASANDRA   ¿Estás, Conde, enamorado
                    de alguna imagen de bronce,   1480
                    ninfa u diosa de alabastro?
                    Las almas de las mujeres

los dioses, lo que llevó a Zeus a provocar que cayera del caballo, precipitándolo al vacío y matándolo. Por último, *Sinón* fue el espía que convenció a los troyanos para que introdujeran en la ciudad el gran caballo de madera que los griegos habían erigido y que en realidad ocultaba en su interior a un grupo de soldados. Belerofonte, subido a Pegaso y elevado a lo más alto del cielo, veía la Tierra como un pequeño punto. Según el modelo cosmológico ptolemaico, del que se hace eco Lope en el v. 1469, la Tierra era inmóvil, se encontraba en el centro del universo y estaba rodeada por varias esferas concéntricas en las que se situaban el sol, la luna y los planetas, siendo una de las esferas superiores el lugar donde se encontraban fijadas las estrellas (el firmamento o *círculo de los astros*). **1473.** Entiéndase, por hipérbaton: 'fatal parto de su incendio', porque al salir los soldados griegos del interior del caballo de Troya (lo que se compara con un *parto*), éstos incendiaron la ciudad.   **1474.** *Jasón*: héroe de la mitología griega que navegó hasta la región de la Cólquide para recuperar el vellocino de oro e intentar recobrar el reino del que era legítimo heredero; *tentó*: 'intentó'.   **1476-1477.** 'sometiendo (*poniendo yugo a su cuello*) al *mar* con el navío (*los pinos y lienzos*, 'maderos y velas') construido por Argos'.   **1481.** La *imagen de bronce* o *diosa de alabastro* remite al motivo del amor imposible por una estatua difundido por la tradición, como, por ejemplo, en el célebre caso del mítico rey chipriota Pigmalión, quien se enamoró de la estatua de una hermosa mujer que él mismo había esculpido, o el de un joven de Atenas, quien se enamoró de una estatua y finalmente enloqueció y murió por ello; Lope emplea en el manuscrito autógrafo el ológrafo *u* para la conjunción al seguirle una palabra que empieza por la letra *d*, un rasgo de estilo del Fénix que era un uso aceptado por la lengua del siglo XVII.

no las viste jaspe helado;
ligera cortina cubre
todo pensamiento humano.   1485
Jamás amor llamó al pecho,
siendo con méritos tantos,
que no respondiese el alma:
«aquí estoy, pero entrad paso».
Dile tu amor, sea quien fuere,   1490
que no sin causa pintaron
a Venus tal vez los griegos
rendida a un sátiro o fauno.
Más alta será la luna,
y de su cerco argentado   1495
bajó por Endimión
mil veces al monte Latmo.
Toma mi consejo, Conde,
que el edificio más casto
tiene la puerta de cera;   1500
habla, y no mueras callando.
FEDERICO   El cazador con industria
pone al pelícano indiano
fuego alrededor del nido,

1483. *jaspe*: 'mármol manchado con varios colores'.   1489. *paso*: 'despacio'.
1492-1493. Lope se refiere en otras de sus obras (en su novela pastoril *Arcadia*, en
la comedia *Dios hace reyes* y en *La Dorotea*) a un cuadro de esta diosa en brazos de
un *sátiro*, aunque no se conoce la pintura concreta a la que alude; *tal vez*: 'en una
ocasión'.   1494. *será*: aquí, con el sentido de 'estará'.   1495. El *cerco argentado*
es la circunferencia (plateada, por el color del satélite) que la luna traza en su esfera celeste al girar en torno a la Tierra.   1497. La Luna se enamoró del joven y
bello pastor Endimión, al que Zeus hizo caer en un sueño eterno en la cima del
monte Latmo para que la diosa pudiera visitarlo todas las noches.   1502. *industria*: 'ingenio, maña'.   1503. Esta historia acerca de la caza del *pelícano* se
remonta en última instancia a la obra *Hyeroglyfica*, escrita por el gramático Ho-
rapolo al final de la edad antigua, y fue difundida en el siglo XVI por varios autores, como Juan de Aranda o Fray Luis de Granada, de donde pudo conocerla
Lope. El *pelícano indiano* ('americano') se presentaba en esta fábula como símbolo de la imprudencia, aunque Federico utiliza la historia como alegoría de su
amor, tal y como explica en los versos siguientes.

y él, decendiendo de un árbol,   1505
para librar a sus hijos,
bate las alas turbado,
con que más enciende el fuego
que piensa que está matando;
finalmente se le queman   1510
y, sin alas, en el campo
se deja coger, no viendo
que era imposible volando.
Mis pensamientos, que son
hijos de mi amor que guardo   1515
en el nido del silencio,
se están, señora, abrasando;
bate las alas amor
y enciéndelos por librarlos;
crece el fuego y él se quema.   1520
Tú me engañas, yo me abraso;
tú me incitas, yo me pierdo;
tú me animas, yo me espanto;
tú me esfuerzas, yo me turbo;
tú me libras, yo me enlazo;   1525
tú me llevas, yo me quedo;
tú me enseñas, yo me atajo,
porque es tanto mi peligro
que juzgo por menos daño
—pues todo ha de ser morir—   1530
morir sufriendo y callando.

Vase Federico

CASANDRA   No ha hecho en la tierra el cielo
cosa de más confusión

1509. *matando*: 'apagando' (el fuego).   **1510.** 'se le queman las alas'.   **1513.** *volando*: 'si hubiera salido volando'.   **1524.** *me esfuerzas*: 'me infundes ánimo'.
1525. *me enlazo*: aquí, con el sentido figurado de 'me encierro en mí mismo'.
1527. *me atajo*: 'me avergüenzo, no me atrevo a actuar'.

que fue la imaginación
para el humano desvelo.   1535
Ella vuelve el fuego en hielo,
y en el color se transforma
del deseo, donde forma
guerra, paz, tormenta y calma,
y es una manera de alma   1540
que más engaña que informa.
　Estos escuros intentos,
estas claras confusiones,
más que me han dicho razones,
me han dejado pensamientos.   1545
¿Qué tempestades los vientos
mueven de más variedades
que estas confusas verdades
en una imaginación?
Porque las del alma son   1550
las mayores tempestades.
　Cuando a imaginar me inclino
que soy lo que quiere el Conde,
el mismo engaño responde
que lo imposible imagino;   1555
luego mi fatal destino
me ofrece mi casamiento
y, en lo que siento, consiento,
que no hay tan grande imposible
que no le juzguen visible   1560
los ojos del pensamiento.
　Tantas cosas se me ofrecen
juntas, como esto ha caído

1535. *desvelo*: 'preocupación'.　1537. *color*: 'apariencia, imagen'.　1540. *una manera*: 'un tipo'.　1541. Hay un juego de palabras con *informa*, pues tiene el sentido de 'da información' (en contraposición a *engañar*), pero también el de 'da forma' (de acuerdo con la teoría aristotélico-escolástica, según la cual el alma daba forma al cuerpo; véase el v. 477).　1542. *escuros*: 'oscuros'.　1545. *pensamientos*: 'dudas, sospechas'.　1547. *de más variedades*: 'de más inestabilidad e inconstancia'.　1561. Es decir, 'la conciencia'.　1563-1564. 'ya que (*como*) esta

sobre un bárbaro marido,
que pienso que me enloquecen.   1565
Los imposibles parecen
fáciles y yo, engañada,
ya pienso que estoy vengada;
mas, siendo error tan injusto,
a la sombra de mi gusto   1570
estoy mirando su espada.
   Las partes del Conde son
grandes, pero mayor fuera
mi desatino si diera
puerta a tan loca pasión.   1575
¡No más, necia confusión!
Salid, cielo, a la defensa,
aunque no yerra quien piensa,
porque en el mundo no hubiera
hombre con honra si fuera   1580
ofensa pensar la ofensa.
   Hasta agora no han errado
ni mi honor ni mi sentido
porque lo que he consentido
ha sido un error pintado.   1585
Consentir lo imaginado
para con Dios es error,
mas no para el deshonor;
que diferencian intentos
el ver Dios los pensamientos   1590
y no los ver el honor.

---

atracción hacia el Conde me ha sobrevenido (*ha caído*) teniendo un marido
cruel'. **1570-1571**. 'soy consciente de que a mi interés por Federico (*mi gusto*) le
sigue la venganza de mi marido (*su espada*)'. **1572**. *Las partes*: 'Las virtudes naturales'. **1583**. *mi sentido*: 'mi entendimiento'. **1585**. *pintado*: 'imaginado'.
1586-1591. El que Casandra imagine la posibilidad de cometer adulterio con Federico supone de por sí un pecado (*para con Dios es error*), pues Dios juzga incluso los pensamientos de las personas (*ver Dios los pensamientos*), pero no supone
ningún deshonor, pues el honor sólo se pierde si el pensamiento se lleva a cabo
y es descubierto por otras personas.

Aurora entre

AURORA   Larga plática ha tenido
              Vuestra Alteza con el Conde.
              ¿Qué responde?
CASANDRA   Que responde
              a tu amor agradecido.   1595
              Sosiega, Aurora, tus celos,
              que esto pretende no más.

Vase Casandra

AURORA   ¡Qué tibio consuelo das
              a mis ardientes desvelos!
                 ¡Que pueda tanto en un hombre   1600
              que adoró mis pensamientos
              ver burlados los intentos
              de aquel ambicioso nombre
              con que heredaba a Ferrara!
              Tú eres poderoso, Amor;   1605
              por ti ni en vida ni honor,
              ni aun en alma se repara.
                 Y Federico se muere
              —que me solía querer—
              con la tristeza de ver   1610
              lo que de Casandra infiere;
                 pero, pues él ha fingido
              celos por disimular
              la ocasión, y despertar
              suelen el amor dormido,   1615
                 quiero dárselos de veras
              favoreciendo al Marqués.

1592. *plática*: 'conversación'.   1611. Aurora piensa que Federico *infiere* de Casandra que ella tendrá hijos y, por consiguiente, perderá su derecho a suceder a su padre.

Rutilio y el Marqués

RUTILIO   Con el contrario que ves,
                 en vano remedio esperas
                    de tus locas esperanzas.   1620
MARQUÉS   Calla, Rutilio, que aquí
                 está Aurora.
RUTILIO   Y tú sin ti,
                 firme entre tantas mudanzas.

Vase

MARQUÉS   Aurora del claro día
                 en que te dieron mis ojos,   1625
                 con toda el alma en despojos,
                 la libertad que tenía;
                 aurora que el sol envía
                 cuando en mi pena anochece,
                 por quien ya cuanto florece   1630
                 viste colores hermosas,
                 pues entre perlas y rosas
                 de tus labios amanece;
                    desde que de Mantua vine,
                 hice con poca ventura   1635
                 elección de tu hermosura,
                 que no hay alma que no incline.
                 ¡Qué mal mi engaño previne,
                 puesto que el alma te adora,
                 pues sólo sirve, señora,   1640

1618. *contrario*: 'rival amoroso'.   1622-1623. 'Y tú estás enajenado de ti mismo, manteniéndote constante en tu pasión en medio de tantos cambios (*mudanzas*)'.   Acot. El texto no especifica en qué momento del acto Rutilio abandona el escenario. Su salida podría tener lugar tras el v. 1747, pero la ausencia de cualquier otra intervención de Rutilio invita a pensar que Lope pudo haber pensado en que el personaje abandonara el tablado en este punto.   1626. *en despojos*: 'como botín'.   1638. *previne*: 'anticipé'.

de que te canses de mí,
hallando mi noche en ti
cuando te suspiro aurora!
No el verte desdicha ha sido,
que ver luz nunca lo fue,   1645
sino que mi amor te dé
causa para tanto olvido.
Mi partida he prevenido,
que es el remedio mejor;
fugitivo a tu rigor,   1650
voy a buscar resistencia
en los milagros de ausencia
y en las venganzas de amor.
Dame licencia y la mano.

AURORA   No se morirá de triste   1655
el que tan poco resiste,
ni galán ni cortesano,
Marqués, el primer desdén;
que no están hechos favores,
para primeros amores,   1660
antes que se quiera bien.
Poco amáis, poco sufrís;
pero en tal desigualdad,
con la misma libertad
que licencia me pedís,   1665
os mando que no os partáis.

1643. *te suspiro aurora*: 'te deseo como mi aurora', en contraposición a la *noche* del verso anterior. **1648.** *he prevenido*: 'he preparado'. **1650.** *a tu rigor*: 'ante tu dureza y desdén'. **1651-1653.** El Marqués alude a algunas nociones popularizadas desde época medieval por diversos tratados que abordaban las causas del amor y posibles curas (*resistencia*), basados particularmente en el *Remedio de amor* de Ovidio, según los cuales dos maneras eficaces de olvidar un amor eran marchándose para dejar de ver a la persona amada (*los milagros de ausencia*) o buscando una nueva persona a la que amar (*las venganzas de amor*). **1654.** 'Dame permiso para marcharme y la mano como señal de despedida'. **1661.** *antes que*: 'antes de que'. **1663.** *desigualdad* porque el Marqués no ama tanto como afirma y sufre todavía menos por su amor.

MARQUÉS   Señora, a tan gran favor,
aunque parece rigor,
con que esperar me mandáis,
    no los diez años que a Troya   1670
cercó el griego, ni los siete
del pastor a quien promete
Labán su divina joya,
    pero siglos inmortales
como Tántalo estaré,   1675
entre la duda y la fe
de vuestros bienes y males.
    Albricias quiero pedir
a mi amor de mi esperanza.

AURORA   Mientras el bien no se alcanza,   1680
méritos tiene el sufrir.

El Duque, Federico y Batín

DUQUE   Escríbeme el Pontífice por ésta
que luego a Roma parta.

FEDERICO   ¿Y no dice la causa en esa carta?

1670-1673. De acuerdo con el relato bíblico del Génesis (XXIX, 16-20), Labán prometió a Jacob (*el pastor*) que podría casarse con su hija Raquel (*su divina joya*) si accedía a trabajar a su servicio durante siete años. Tanto el sitio de Troya, que duró según la leyenda diez años, como los trabajos de Jacob representan la recompensa que conlleva la constancia. **1674.** *pero*: 'sino'. **1675.** De acuerdo con la mitología griega, el rey Tántalo cometió una grave falta contra los dioses y fue por ello castigado a pasar la eternidad en los infiernos sufriendo una privación imposible de satisfacer: condenado a un hambre y sed eternas, Tántalo estaba sumergido en agua hasta el cuello y sobre su cabeza colgaba una rama con frutos, pero el líquido o la comida retrocedían y quedaban fuera de su alcance cada vez que intentaba beber o comer. **1680-1681.** Los versos 1680-1681 se atribuyen a Casandra en el autógrafo de Lope, al Marqués en las ediciones impresas del siglo XVII y a Aurora en la copia manuscrita no autógrafa que se conserva de la tragedia. Parece que la intención de Lope era asignar estos versos a Aurora, el único personaje presente en escena junto con el Marqués, pero que el dramaturgo madrileño se despistó al escribir su nombre. **1682.** *por ésta*: 'mediante esta carta'.

DUQUE   Que sea la respuesta,   1685
             Conde, partirme al punto.
FEDERICO   Si lo encubres, señor, no lo pregunto.
DUQUE   ¿Cuándo te encubro yo, Conde, mi pecho?
             Sólo puedo decirte que sospecho
             que, con las guerras que en Italia tiene,   1690
             si numeroso ejército previene,
             podemos presumir que hacerme intenta
             general de la Iglesia; que a mi cuenta
             también querrá que con dinero ayude,
             si no es que en la elección de intento
                                    [mude.   1695
FEDERICO   No en vano lo que piensas me encubrías
             si solo te partías,
             que ya será conmigo; que a tu lado
             no pienso que tendrás mejor soldado.
DUQUE   Eso no podrá ser, porque no es justo,   1700
             Conde, que sin los dos mi casa quede.
             Ninguno como tú regirla puede;
             esto es razón, y basta ser mi gusto.
FEDERICO   No quiero darte, gran señor, disgusto,
             pero en Italia ¿qué dirán si quedo?   1705
DUQUE   Que esto es gobierno, y que sufrir no
                                    [puedo
             aun de mi propio hijo compañía.
FEDERICO   ¡Notable prueba en la obediencia mía!

1686. *al punto*: 'enseguida'.   1690. Lope podría estar pensando en las guerras italianas del siglo XV en las que intervinieron los ejércitos pontificios –lo que se apro-
xima al período en el que sucedió la historia real que sirve de fuente a esta tragedia– o en las guerras que tuvieron lugar ya en el siglo XVI, más cercanas, por lo tanto,
a las referencias culturales e históricas propias del público de la representación. Por
una referencia en el acto tercero (v. 2345), sabemos que Lope sitúa el conflicto en
la zona de la Lombardía.   1693. *a mi cuenta*: 'según me parece'.   1695. 'si no es
que mude el Papa de propósito (*intento*) en mi elección como general'.   1701. Por
casa se entiende tanto 'el hogar familiar' como 'los estados y vasallos de un señor'.
1705. *si quedo*: 'si me quedo'.   1706. *esto es gobierno*: 'ésta es una forma sensata y
prudente de gobernar'; *sufrir*: 'tolerar, soportar'.

Váyase el Duque

BATÍN	Mientras con el Duque hablaste,	
	he reparado en que Aurora,	1710
	sin hacer caso de ti,	
	con el Marqués habla a solas.	
FEDERICO	¿Con el Marqués?	
BATÍN	Sí, señor.	
FEDERICO	Y ¿qué piensas tú que importa?	
AURORA	Esta banda prenda sea	1715
	del primer favor.	
MARQUÉS	Señora,	
	será cadena en mi cuello,	
	será de mi mano esposa	
	para no darla en mi vida.	
	Si queréis que me la ponga,	1720
	será doblado el favor.	
AURORA	(Aunque es venganza amorosa,	
	parece a mi amor agravio.)	
	Porque de dueño mejora,	
	os ruego que os la pongáis.	1725
BATÍN	Ser las mujeres traidoras	
	fue de la naturaleza	
	invención maravillosa,	
	porque, si no fueran falsas	
	—algunas digo, no todas—,	1730
	idolatraran en ellas	
	los hombres que las adoran.	
	¿No ves la banda?	
FEDERICO	¿Qué banda?	

1715. La *banda* ('cinta ancha de tela que usualmente se lleva de adorno, atravesada desde un hombro al costado opuesto') era uno de los adornos de los que se sirvieron las mujeres en el siglo XVII para embellecer su vestuario. La entrega por parte de una dama de una prenda de ropa a un pretendiente como señal (*prenda*) de favor amoroso fue motivo frecuente en el teatro barroco. 1731. 'las idolatraran'.

BATÍN   ¿Qué banda? ¡Graciosa cosa!
                      Una que lo fue del sol   1735
                      cuando lo fue de una sola
                      en la gracia y la hermosura,
                      planetas con que la adorna;
                      y agora, como en eclipse,
                      del dragón lo estremo toca.   1740
                      Yo me acuerdo cuando fuera
                      la banda de la discordia,
                      como la manzana de oro
                      de Paris y las tres diosas.
FEDERICO   Eso fue entonces, Batín,   1745
                      pero es otro tiempo agora.
AURORA   Venid al jardín conmigo.

                      Vanse los dos

BATÍN   ¡Con qué libertad la toma
                      de la mano y se van juntos!

1735-1740. Con esta imagen astronómica advierte Batín a Federico de que Aurora ha entregado al Marqués una prenda de su vestido, señal de que favorece sus pre-
tensiones amorosas: la banda que antes llevaba Aurora (el *sol*), única en gracia y
hermosura (galas con las que la banda adorna a la dama, al igual que los *planetas*
adornan al sol), ahora la lleva puesta al marqués Gonzaga (el *dragón*) desde un
hombro al costado opuesto (*lo estremo toca*), al igual que la luna toca los extremos
del dragón durante un *eclipse* (porque los dos puntos de la esfera celeste donde la órbita de la luna se cruza con la órbita aparente del sol y, por consiguiente, donde pueden tener lugar los eclipses eran conocidos en astrología con los nombres de *cabeza del dragón* y *cola del dragón*); *de una sola*: 'de una mujer que es única'.   **1741-1742.**
Entiéndase: 'Yo me acuerdo de una época en la que la banda hubiera sido motivo
de discordia entre el Marqués y tú'.   **1743-1744.** Referencia al mito griego vinculado con el origen de la guerra de Troya. La diosa Eris, disgustada por no haber sido
invitada a las bodas de la diosa Tetis con el griego Peleo, se vengó colocando una
manzana de oro con la inscripción «Para la mejor y más bella entre las diosas» a la
vista de todos en el banquete nupcial. Todas las diosas se disputaron la manzana y
tres quedaron finalistas: Rea, Atenea y Afrodita. Ante la imposibilidad de los dioses de decidir cuál de las tres era merecedora de la manzana, éstas pidieron a Paris,
hijo del rey de Troya, que actuara como juez de la disputa y eligiera a una ganado-
ra, que resultó ser Afrodita.

FEDERICO	¿Qué quieres, si se conforman	1750
	las almas?	
BATÍN	¿Eso respondes?	
FEDERICO	¿Qué quieres que te responda?	
BATÍN	Si un cisne no sufre al lado	
	otro cisne y se remonta	
	con su prenda muchas veces	1755
	a las estranjeras ondas;	
	y un gallo, si al de otra casa	
	con sus gallinas le topa,	
	con el suyo le deshace	
	los picos de la corona,	1760
	y, encrespando su turbante,	
	turco por la barba roja,	
	celoso vencerle intenta	
	hasta en la noturna solfa,	
	¿cómo sufres que el Marqués	1765
	a quitarte se disponga	
	prenda que tanto quisiste?	
FEDERICO	Porque la venganza propia	
	para castigar las damas	
	que a los hombres ocasionan	1770
	es dejarlas con su gusto,	
	porque aventura la honra	
	quien la pone en sus mudanzas.	
BATÍN	Dame, por Dios, una copia	
	dese arancel de galanes;	1775
	tomarele de memoria.	

1750. *conforman*: 'corresponden'. 1755. *prenda*: 'ser querido'. 1756. *extran-jeras ondas*: 'aguas diferentes'. 1759-1760. 'con su pico (*con el suyo*) el gallo deshace las partes puntiagudas (*picos*) que forma la cresta (*corona*) del rival'. 1761-1762. *su turbante*: 'su cresta'; la *barba roja* es una referencia a la piel de este color que cuelga de la mandíbula inferior de los gallos, pero también a los hermanos Barbarroja, célebres piratas turcos de principios del siglo XVI. 1764. Pro-verbialmente el canto de los gallos (*solfa*) se asociaba no sólo al amanecer, sino también a la medianoche, por eso la *solfa* se califica de *nocturna*. 1770. *ocasio-nan*: 'provocan'. 1775. *arancel*: 'normas de conducta, disposiciones'.

No, Conde; misterio tiene
tu sufrimiento, perdona;
que pensamientos de amor
son arcaduces de noria:　　　　　　　1780
ya deja el agua primera
el que la segunda toma.
Por nuevo cuidado dejas
el de Aurora; que si sobra
el agua, ¿cómo es posible　　　　　　1785
que pueda ocuparse de otra?

FEDERICO　Bachiller estás, Batín,
pues con fuerza cautelosa
lo que no entiendo de mí
a presumir te provocas.　　　　　　　1790
Entra y mira qué hace el Duque,
y de partida te informa
porque vaya a acompañarle.

BATÍN　Sin causa necio me nombras,
porque abonar tus tristezas　　　　　1795
fuera más necia lisonja.

Vase

FEDERICO　¿Qué buscas, imposible pensamiento?
Bárbaro, ¿qué me quieres? ¿Qué me
[incitas?
¿Por qué la vida sin razón me quitas,
donde, volando, aun no te quiere el
[viento?　　1800
Detén el vagaroso movimiento,
que la muerte de entrambos solicitas;

1780. *arcaduces*: 'recipientes con los que se saca el agua en una noria'.　　1783. *nuevo cuidado*: 'nuevo amor'.　　1784. *sobra*: 'rebosa'.　　1787. *Bachiller estás*: 'Estás impertinente'.　　1790. 'te animas a deducir'.　　1792. 'e infórmate de su partida'.　　1795. *abonar*: 'aprobar, dar por buenas'.　　1800. El pensamiento de Federico se eleva hasta la región donde nace el viento —aunque éste lo rechace— por su amor hacia Casandra.　　1801. *vagaroso*: 'ambulante, sin rumbo fijo'.　　1802. *solicitas*: 'buscas'.

déjame descansar y no permitas
tan triste fin a tan glorioso intento.
No hay pensamiento, si rindió
            [despojos,   1805
que sin determinado fin se aumente,
pues, dándole esperanzas, sufre enojos.
Todo es posible a quien amando
            [intente,
y sólo tú naciste de mis ojos
para ser imposible eternamente.   1810

Casandra entre

CASANDRA   Entre agravios y venganzas
anda solícito amor
después de tantas mudanzas,
sembrando contra mi honor
mal nacidas esperanzas.   1815
En cosas inacesibles
quiere poner fundamentos
como si fuesen visibles;
que no puede haber contentos
fundados en imposibles.   1820
En el ánimo que inclino
al mal, por tantos disgustos
del Duque, loca imagino
hallar venganzas y gustos

1804. El *glorioso intento* es la esperanza del pensamiento de elevarse hasta alcanzar el amor prohibido. **1805-1807.** 'Ningún pensamiento derrotado (*si rindió despojos*) puede acrecentarse si no tiene un objetivo determinado, pero, si se le da esperanzas, es capaz de sufrir toda clase de dificultades'. **Acot.** La actriz que interpretara a Casandra probablemente se situaría en uno de los extremos del tablado para recitar su monólogo, quedando Federico en el lado contrario del escenario sin que cada uno percibiera la presencia del otro hasta el v. 1856. **1816-1820.** Es decir, el amor intenta hacer posible (*poner fundamentos*) lo que realmente es inaccesible, porque no es posible la felicidad si el deseo es imposible de alcanzar.

en el mayor desatino.   1825
   Al galán Conde y discreto,
y su hijo, ya permito
para mi venganza efeto,
pues para tanto delito
conviene tanto secreto.   1830
   Vile turbado, llegando
a decir su pensamiento,
y desmayarse temblando,
aunque ¿es más atrevimiento
hablar un hombre callando?   1835
   Pues de aquella turbación
tanto el alma satisfice,
dándome el Duque ocasión,
que hay dentro de mí quien dice
que, si es amor, no es traición,   1840
   y que, cuando ser pudiera
rendirme desesperada
a tanto valor, no fuera
la postrera enamorada
ni la traidora primera.   1845
   A sus padres han querido
sus hijas, y sus hermanos
algunas; luego no han sido
mis sucesos inhumanos
ni mi propia sangre olvido.   1850
   Pero no es disculpa igual
que haya otros males de quien

1826-1828. 'Ya consiento que el Conde, que es galán y discreto, e hijo del Duque, sea la ejecución de mi venganza'. **1829.** *tanto*: aquí, y en el verso siguiente, con el sentido de 'tan gran'. **1833.** *desmayarse*: 'perder el valor, mostrarse atemorizado'. **1837.** *satisfice*: aquí, con el sentido de 'sosegué, calmé', pero también de 'sacié'. **1846-1850.** Casandra justifica su pasión hacia su hijastro alegando la existencia de otros amores incestuosos, de manera que sus pensamientos no son inhumanos ni su decisión va contra su condición (*mi propia sangre*). **1851.** *igual*: 'equivalente'.

me valga en peligro tal;
que para pecar no es bien
tomar ejemplos del mal.   1855
    Éste es el Conde, ¡ay de mí!
Pero ya determinada,
¿qué temo?

FEDERICO   Ya viene aquí
desnuda la dulce espada
por quien la vida perdí.   1860
    ¡Oh hermosura celestial!

CASANDRA   ¿Cómo te va de tristeza,
Federico?

FEDERICO   En tanto mal
responderé a Vuestra Alteza
que es mi tristeza inmortal.   1865

CASANDRA   Destiemplan melancolías
la salud; enfermo estás.

FEDERICO   Traigo unas necias porfías,
sin que pueda decir más,
señora, de que son mías.   1870

CASANDRA   Si es cosa que yo la puedo
remediar, fía de mí,
que en amor tu amor excedo.

FEDERICO   Mucho fiara de ti,
pero no me deja el miedo.   1875

CASANDRA   Dijísteme que era amor
tu mal.

FEDERICO   Mi pena y mi gloria
nacieron de su rigor.

CASANDRA   Pues oye una antigua historia,
que el amor quiere valor.   1880
    Antíoco, enamorado

1866. *Destiemplan*: 'Destemplan', por diptongación de la vocal tónica.   1868. *por-*
fías: 'preocupaciones'.   1872. *fía de mí*: 'confía en mí', al igual que en el v. 1874.
1881-1883. Según Valerio Máximo, cuya versión es la que conoció Lope, el
príncipe asiático *Antíoco* se enamoró de su madrastra Estratónice y cayó enfer-

	de su madrastra, enfermó	
	de tristeza y de cuidado.	
FEDERICO	Bien hizo si se murió,	
	que yo soy más desdichado.	1885
CASANDRA	El rey, su padre, afligido,	
	cuantos médicos tenía	
	juntó, y fue tiempo perdido,	
	que la causa no sufría	
	que fuese amor conocido.	1890
	Mas Eróstrato, más sabio	
	que Hipócrates y Galeno,	
	conoció luego su agravio;	
	pero que estaba el veneno	
	entre el corazón y el labio.	1895
	Tomole el pulso y mandó	
	que cuantas damas había	
	en palacio entrasen.	
FEDERICO	Yo	
	presumo, señora mía,	

mo de melancolía como consecuencia de su pasión. Su padre, el rey Seleuco, ordenó al prestigioso médico Erasístrato que hallara la causa de la enfermedad de su hijo. Sospechando que podía tratarse de mal de amores, observó las reacciones del príncipe al ver entrar en su estancia a las distintas mujeres de palacio y descubrió que Estratónice era la mujer de la que se había enamorado. Seleuco, al enterarse del motivo de la enfermedad de su hijo y deseando por encima de todo que sanara, obligó a Estratónice a casarse con Antíoco y les entregó la mitad de su reino.   **1891.** Lope confunde en este punto el nombre de Erasístrato, el médico que descubrió la causa de la enfermedad de Antíoco, con el de *Eróstrato*, un pastor del siglo IV a. C que quiso pasar a la posteridad incendiando el templo de Artemisa en Éfeso, una de las maravillas del mundo antiguo. El manuscrito autógrafo muestra que el Fénix dudó a la hora de escribir este nombre, probablemente porque estaba recordando de memoria la historia de Antíoco y Seleuco.   **1892.** *Hipócrates*: médico griego que vivió entre los siglos V-IV a. C., considerado como el padre de la medicina moderna; *Galeno*: médico griego que vivió en el siglo II a. C., célebre por sus numerosos tratados sobre medicina.   **1893.** *agravio*: aquí, con el sentido de 'dolencia, enfermedad'.   **1894.** *pero que*: 'pero conoció que'.   **1895.** La causa de la dolencia de Antíoco era el amor, pues se localizaba entre el *corazón* (donde tenía su origen) y la boca o el *labio* (porque mantenía en secreto su amor).

| | que algún espíritu habló. | 1900 |

CASANDRA Cuando su madrastra entraba,
conoció en la alteración
del pulso que ella causaba
su mal.

FEDERICO   ¡Estraña invención!

CASANDRA Tal en el mundo se alaba.   1905

FEDERICO ¿Y tuvo remedio ansí?

CASANDRA No niegues, Conde, que yo
he visto lo mismo en ti.

FEDERICO Pues ¿enojaraste?

CASANDRA   No.

FEDERICO ¿Y tendrás lástima?

CASANDRA   Sí.   1910

FEDERICO Pues, señora, yo he llegado,
perdido a Dios el temor,
y al Duque, a tan triste estado
que este mi imposible amor
me tiene desesperado.   1915

En fin, señora, me veo
sin mí, sin vos y sin Dios:
sin Dios, por lo que os deseo;
sin mí, porque estoy sin vos;
sin vos, porque no os poseo.   1920

Y, por si no lo entendéis,
haré sobre estas razones
un discurso, en que podréis
conocer de mis pasiones
la culpa que vos tenéis.   1925

Aunque dicen que el no ser
es, señora, el mayor mal,

1920. El mote *Sin mí, sin vos y sin Dios* fue glosado desde finales del siglo XV por varios poetas de cancionero, atraídos por las posibilidades conceptuales que ofrece su concisa expresión. En este caso, Lope complica el artificio literario al glosar su propia glosa a lo largo de cinco quintillas dobles, cada una de las cuales termina con uno de los versos de su glosa del mote.

tal por vos me vengo a ver
que, para no verme tal,
quisiera dejar de ser. 1930
En tantos males me empleo
después que mi ser perdí
que, aunque no verme deseo,
para ver si soy quien fui,
en fin, señora, me veo. 1935
A decir que soy quien soy
tal estoy que no me atrevo,
y por tales pasos voy
que aun no me acuerdo que debo
a Dios la vida que os doy. 1940
Culpa tenemos los dos
del no ser que soy agora,
pues, olvidado por vos
de mí mismo, estoy, señora,
sin mí, sin vos y sin Dios. 1945
Sin mí no es mucho, pues ya
no hay vida sin vos que pida
al mismo que me la da;
pero sin Dios, con ser vida,
¿quién sino mi amor está? 1950
Si en desearos me empleo
y él manda no desear
la hermosura que en vos veo,
claro está que vengo a estar
sin Dios, por lo que os deseo. 1955
¡Oh, qué loco barbarismo
es presumir conservar
la vida en tan ciego abismo

1938. *pasos*: con el sentido metafórico de 'caminos'. 1948. Es decir, a Dios, pues es quien da la vida a todos los hombres. 1950. Refiere Federico que su amor está sin Dios por la naturaleza incestuosa y prohibida de su pasión. 1953. Se refiere Federico al mandato divino de no desear la mujer del prójimo. 1956. *barbarismo*: aquí, con el sentido de 'acción temeraria'. 1958. *ciego abis-*

hombre que no puede estar
ni en vos ni en Dios ni en sí mismo!   1960
    ¿Qué habemos de hacer los dos,
pues a Dios por vos perdí
después que os tengo por dios;
sin Dios, porque estáis en mí;
sin mí, porque estoy sin vos?   1965
    Por haceros sólo bien,
mil males vengo a sufrir.
Yo tengo amor; vos, desdén;
tanto, que puedo decir:
¡mirad con quién y sin quién!   1970
    Sin vos y sin mí peleo
con tanta desconfianza:
sin mí, porque en vos ya veo
imposible mi esperaza;
sin vos, porque no os poseo.   1975

CASANDRA   Conde, cuando yo imagino
a Dios y al Duque, confieso
que tiemblo porque adivino
juntos para tanto exceso
poder humano y divino;   1980
    pero viendo que el amor
halló en el mundo disculpa,
hallo mi culpa menor,
porque hace menor la culpa
ser la disculpa mayor.   1985
    Muchas ejemplos me dieron
que a errar se determinaron,
porque los que errar quisieron
siempre miran los que erraron,

---

mo: 'oscura sima de peligros'.   **1961.** *habemos*: 'hemos'; se trata de la forma etimológica (derivada del latín *habemus*).   **1970.** El verso remite a otra letra muy
popular en los Siglos de Oro («Con amor y sin dinero, / ¡mirad con quién y sin
quién / para que me encuentre bien!») que fue glosada por diversos poetas.

                   no los que se arrepintieron.   1990
                   Si remedio puede haber,
                   es huir de ver y hablar,
                   porque con no hablar ni ver,
                   o el vivir se ha de acabar
                   o el amor se ha de vencer.   1995
                   Huye de mí, que de ti
                   ya no sé si huir podré,
                   o me mataré por ti.
FEDERICO   Yo, señora, moriré,
                   que es lo más que haré por mí.   2000
                   No quiero vida; ya soy
                   cuerpo sin alma, y de suerte
                   a buscar mi muerte voy
                   que aun no pienso hallar mi muerte
                   por el placer que me doy.   2005
                   Sola una mano suplico
                   que me des; dame el veneno
                   que me ha muerto.
CASANDRA   Federico,
                   todo principio condeno
                   si pólvora al fuego aplico.   2010
                   Vete con Dios.
FEDERICO   ¡Qué traición!
CASANDRA   Ya determinada estuve,
                   pero advertir es razón

1998. Una mano distinta a la de Lope tachó este verso en el manuscrito autógrafo y lo sustituyó por *o me daré muerte aquí*, que posteriormente se convirtió en *o me daré muerte a mí* en las ediciones de la obra del siglo XVII.   **2009.** 'actúo contra las normas de conducta'.   **2012.** La *Parte XXI* sitúa los vv. 2012-2015 en aparte e incluye en el v. 2020 una acotación en la que se indica que cada uno de los actores que interpretaran a la pareja de enamorados iría dirigiéndose durante este diálogo final hacia puertas diferentes del fondo del escenario. Sin embargo, también puede interpretarse que el resto del acto se desarrolla a medio camino entre el aparte y el diálogo, con Federico y Casandra expresando su turbación pasional con frases dirigidas tanto a sí mismos como al otro y acercándose poco a poco para terminar el acto abrazados.   **2013.** 'pero es con-

	que por una mano sube	
	el veneno al corazón.	2015
FEDERICO	Sirena, Casandra, fuiste;	

que por una mano sube
el veneno al corazón.   2015

FEDERICO   Sirena, Casandra, fuiste;
cantaste para meterme
en el mar, donde me diste
la muerte.

CASANDRA   Yo he de perderme.
¡Tente, honor! ¡Fama, resiste!   2020

FEDERICO   Apenas a andar acierto.

CASANDRA   Alma y sentidos perdí.

FEDERICO   ¡Oh, qué estraño desconcierto!

CASANDRA   Yo voy muriendo por ti.

FEDERICO   Yo no, porque ya voy muerto.   2025

CASANDRA   Conde, tú serás mi muerte.

FEDERICO   Y yo, aunque muerto, estoy tal
que me alegro, con perderte,
que sea el alma inmortal,
por no dejar de quererte.   2030

veniente alertar de'. **2019.** De acuerdo con la mitología clásica, las sirenas eran genios marinos, mitad mujer, mitad ave (o mitad pez, según la tradición), que atraían a los marineros con sus cantos para que sus barcos chocaran contra los arrecifes y se hundieran, y así ellas pudieran devorarlos. **2020.** *Tente*: 'Detente'. **2028.** *con perderte*: 'perdiéndote', en relación con la afirmación anterior de Casandra de que su amor será su muerte. **2026-2030.** La última estrofa del acto aparece tachada por una mano distinta a la de Lope en el manuscrito autógrafo y no se incluyó en ninguna de las ediciones aparecidas en el siglo XVII. Se ha sugerido la posibilidad de la intervención de la censura por el contenido potencialmente sacrílego de los versos, aunque también podría responder a la intervención de alguien de la compañía que poseyó el manuscrito al preparar el texto para una representación.

ACTO TERCERO

Aurora y el Marqués

AURORA	Yo te he dicho la verdad.	
MARQUÉS	No es posible persuadirme.	
	Mira si nos oye alguno	
	y mira bien lo que dices.	
AURORA	Para pedirte consejo	2035
	quise, Marqués, descubrirte	
	esta maldad.	
MARQUÉS	¿De qué suerte	
	ver a Casandra pudiste	
	con Federico?	
AURORA	Está atento.	
	Yo te confieso que quise	2040
	al Conde, de quien lo fui,	
	más traidor que el griego Ulises.	
	Creció nuestro amor el tiempo;	
	mi casamiento previne,	
	cuando fueron por Casandra,	2045
	en fe de palabras firmes,	
	si lo son las de los hombres	
	cuando sus iguales sirven.	

Acot. La acción, que sigue desarrollándose en el interior del palacio de Ferrara, se retoma cuatro meses después del final del acto segundo (véase el v. 2154). **2041.** *de quien lo fui*: 'de quien fui querida'. **2042.** Mientras que la tradición literaria griega consideró a Ulises como un héroe que destacó por su inteligencia y astucia, los escritores latinos se referían a él como ejemplo del engañador y traidor, dado que él fue quien ideó la construcción del caballo de madera que supuso la caída de Troya y los romanos se consideraban descendientes de los troyanos. **2043.** *Creció*: aquí, con el valor transitivo de 'aumentó, incrementó en intensidad'; el sujeto es *el tiempo*. **2046.** *en fe*: 'con la confianza'.

Fue Federico por ella,
de donde vino tan triste   2050
que, en proponiéndole el Duque
lo que de los dos le dije,
se disculpó con tus celos;
y como el amor permite
que, cuando camina poco,   2055
fingidos celos le piquen,
díselos contigo, Carlos;
pero el mismo efeto hice
que en un diamante, que celos,
donde no hay amor, no imprimen.   2060
Pues viéndome despreciada
y a Federico tan libre,
di en inquirir la ocasión,
y como celos son linces
que las paredes penetran,   2065
a saber la causa vine.
En correspondencia tiene,
sirviéndole de tapices
retratos, vidros y espejos,
dos iguales camarines   2070
el tocador de Casandra;

2052. Aurora se refiere al parlamento del primer acto (véanse los vv. 712-735) en
el que dio cuenta a su tío del amor que Federico y ella sentían el uno por el otro.
2056. *le piquen:* 'le inciten'.   **2059.** El *diamante* es el mineral más duro que se
conoce y por ello es muy difícil rallarlo. De ahí que Aurora compare sus infructuosos intentos por provocar celos en Federico con intentar hacer una
marca en un diamante.   **2060.** *no imprimen:* 'no quedan grabados, no hacen
efecto'.   **2062.** *libre:* aquí, con el sentido de 'indiferente para conmigo'.
2064-2065. Según los tópicos transmitidos por los bestiarios, los *linces* tenían
una vista tan aguda que eran capaces de ver a través de los cuerpos sólidos.
2067. *En correspondencia:* 'Con una disposición simétrica'.   **2069.** *vidros:* 'vi-
drios, vajilla de cristal', que junto con *retratos* y *espejos* decoran los camarines de
Casandra al igual que lo harían unos *tapices*.   **2070.** El *camarín* era 'una habitación pequeña y retirada donde se guardaban vajillas valiosas y otros objetos
de cristal y porcelana'.   **2071.** *tocador:* 'la habitación privada utilizada para
asearse y vestirse'.

y como sospechas pisen
tan quedo, dos cuadras antes
miré y vi −¡caso terrible!−
en el cristal de un espejo   2075
que el Conde las rosas mide
de Casandra con los labios.
Con esto y sin alma fuime
donde lloré mi desdicha
y la de los dos que viven,   2080
ausente el Duque, tan ciegos
que parece que compiten
en el amor y el desprecio,
y gustan que se publique
el mayor atrevimiento   2085
que pasara entre gentiles
o entre los desnudos cafres
que lobos marinos visten.
Pareciome que el espejo
que los abrazos repite,   2090
por no ver tan gran fealdad,
escureció los alindes;
pero, más curioso amor,
la infame impresa prosigue,
donde no ha quedado agravio   2095
de que no me certifique.
El Duque dicen que viene
vitorioso, y que le ciñen
sacros laureles la frente

2072. *como*: 'porque'. **2073.** *quedo*: 'en silencio'; *cuadras*: 'habitaciones interiores de una casa que tienen forma cuadrada'. **2074.** *caso*: 'suceso'. **2086.** *gentiles*: 'los que adoran a falsos dioses'. **2087.** *cafres*: era el nombre dado a los habitantes de la antigua colonia inglesa de Cafrería (en la actual Sudáfrica), aunque aquí tiene más bien el sentido general de 'bárbaros, salvajes'. **2088.** *lobos marinos*: 'focas'. **2092.** *alindes*: 'las capas de azogue que se emplean para hacer un espejo'. **2093.** *más curioso amor*: 'siendo más curioso el amor'. **2094.** *impresa*: 'empresa, hazaña', por vacilación de la vocal pretónica. **2096.** *me certifique*: 'me asegure'.

por las hazañas felices   2100
con que del pastor de Roma
los enemigos reprime.
Dime, ¿qué tengo de hacer
en tanto mal? Que me afligen
sospechas de mayor daño,   2105
si es verdad que me dijiste
tantos amores con alma,
aunque soy tan infelice
que parecerás al Conde
en engañarme o en irte.   2110

MARQUÉS   Aurora, la muerte sola
es sin remedio invencible,
y aun a muchos hace el tiempo
en el túmulo fenices,
porque dicen que no mueren   2115
los que por su fama viven.
Dile que te case al Duque,
que, como el sí me confirmes,
con irnos los dos a Mantua
no hayas miedo que peligres;   2120
que, si se arroja en el mar,
con el dolor insufrible
de los hijos que le quitan
los cazadores, el tigre,
cuando no puede alcanzarlos,   2125
¿qué hará el ferrarés Aquiles

2101. *pastor de Roma*: 'Papa'.   2102. *reprime*: 'detiene, contiene'.   2103. *tengo de*: 'tengo que'.   2107. *con alma*: 'con sinceridad'.   2108. *infelice*: se trata de una forma poética del adjetivo 'infeliz' (por adición de una *e* final paragógica). 2114. *túmulo*: 'sepulcro erigido de la tierra'; *fenices*: de uso poco corriente, es la forma plural del término *fénix* (véase la nota al v. 1316).   2121-2125. Plinio el Viejo, y tras él toda la tradición de los bestiarios, presenta en su *Historia natural* (VIII, 25) al tigre como un animal que siente gran amor por sus cachorros y que persigue de forma incansable al cazador que se los lleva. Quizá la alusión concreta a que el animal *se arroja en el mar* provenga de Francisco de Osuna y su célebre *Abecedario espiritual* (IX, 2).   2126. *el ferrarés Aquiles*: 'el

por el honor y la fama?
¿Cómo quieres que se limpie
tan fea mancha sin sangre
para que jamás se olvide,   2130
si no es que primero el cielo
sus libertades castigue
y por gigantes de infamia
con vivos rayos fulmine?
Este consejo te doy.   2135

AURORA   Y de tu mano le admite
mi turbado pensamiento.

MARQUÉS   Será de la nueva Circe
el espejo de Medusa
el cristal en que la viste.   2140

Federico y Batín

FEDERICO   ¿Que no ha querido esperar
que salgan a recibirle?

BATÍN   Apenas de Mantua vio
los deseados confines,
cuando, dejando la gente,   2145
y aun sin querer que te avisen,
tomó caballos y parte;

---

duque de Ferrara'. Aquiles, el gran héroe griego de la *Ilíada*, destacó por su ferocidad y valentía en el combate.   **2128-2130.** El código del honor establecía que el adulterio (*tan fea mancha*) suponía una deshonra que sólo podía expiarse con la muerte (*¿cómo quieres que se limpie ... sin sangre?*).   **2133-2134.** Alusión al mito griego de la lucha de los dioses contra los gigantes (símbolo de la ambición desmesurada), los cuales fueron fulminados por el rayo de Zeus al intentar llegar a la cima del monte Olimpo.   **2136.** *de tu mano*: 'de tu parte'.   **2138-2140.** El Marqués acusa a Casandra de ser una *nueva Circe* por haber seducido a Federico del mismo modo que la hechicera de la mitología griega había hecho con Ulises. La alusión al *cristal* ('espejo') en el que Aurora ha visto a Casandra y Federico besarse hace referencia al escudo que empleó Perseo para evitar mirar a la *Medusa* directamente, pudiendo de este modo derrotarla.

                    tan mal el amor resiste
                    y los deseos de verte,
                    que, aunque es justo que le obligue   2150
                    la Duquesa, no hay amor
                    a quien el tuyo no prive.
                    Eres el sol de sus ojos
                    y cuatros meses de eclipse
                    le han tenido sin paciencia.   2155
                    Tú, Conde, el triunfo apercibe
                    para cuando todos vengan,
                    que las escuadras que rige
                    han de entrar con mil trofeos,
                    llenos de dorados timbres.   2160

FEDERICO   Aurora, ¿siempre a mis ojos
                con el Marqués?

AURORA   ¡Qué donaire!

FEDERICO   ¿Con ese tibio desaire
                respondes a mis enojos?

AURORA   ¿Pues qué maravilla ha sido   2165
                el darte el Marqués cuidado?
                Parece que has despertado
                de cuatro meses dormido.

MARQUÉS   Yo, señor Conde, no sé
                ni he sabido que sentís   2170
                lo que agora me decís;
                que a Aurora he servido en fe
                    de no haber competidor,
                y más como vos lo fuera,
                a quien humilde rindiera   2175
                cuanto no fuera mi amor.

2152. *prive*: 'supere, tenga preferencia'.   **2156.** *el triunfo apercibe*: 'prepara el triunfo', desfile que se celebraba en una ciudad en honor de un militar victorioso en la guerra; fue una ceremonia propia de la Roma clásica.   **2160.** *timbres*: 'insignias'.   **2161.** *a mis ojos*: 'en mi presencia'.   **2162.** *donaire*: aquí, con el sentido de 'insolencia'.   **2163.** *desaire*: 'desprecio'.   **2174.** 'especialmente si tuviera un competidor como vos'.

Bien sabéis que nunca os vi
servirla, mas siendo gusto
vuestro, que la deje es justo,
que mucho mejor que en mí   2180
se emplea en vos su valor.

Vase el Marqués

AURORA   ¿Qué es esto que has intentado?
O ¿qué frenesí te ha dado
sin pensamiento de amor?
    ¿Cuántas veces el Marqués   2185
hablando conmigo viste
desde que diste en ser triste,
y mucho tiempo después,
    y aun no volviste a mirarme,
cuanto más a divertirme?   2190
¿Agora celoso y firme,
cuando pretendo casarme?
    Conde, ya estás entendido.
Déjame casar y advierte
que antes me daré la muerte   2195
que ayudar lo que has fingido.
    Vuélvete, Conde, a estar triste,
vuelve a tu suspensa calma,
que tengo muy en el alma
los desprecios que me hiciste.   2200
    Ya no me acuerdo de ti.
¿Invenciones? ¡Dios me guarde!
¡Por tu vida, que es muy tarde
para valerte de mí!

Vase Aurora

2191. *firme*: aquí, con el sentido de 'constante en tu amor hacia mí'. 2193. 'ya
entiendo tus intenciones'. 2202. *¿Invenciones?*: '¿Engaños?'.

BATÍN	¿Qué has hecho?

BATÍN   ¿Qué has hecho?
FEDERICO   No sé, por Dios.   2205
BATÍN   Al emperador Tiberio
          pareces, si no hay misterio
          en dividir a los dos.
              Hizo matar su mujer
          y, habiéndose ejecutado,   2210
          mandó, a la mesa sentado,
          llamarla para comer.
              Y Mesala fue un romano
          que se le olvidó su nombre.
FEDERICO Yo me olvido de ser hombre.   2215
BATÍN   O eres como aquel villano
          que dijo a su labradora,
          después que de estar casados
          eran dos años pasados:
          «¡Ojinegra es la señora!».   2220
FEDERICO   ¡Ay, Batín, que estoy turbado,
          y olvidado desatino!
BATÍN   Eres como el vizcaíno
          que dejó el macho enfrenado,

2206. Lope aparentemente comete aquí un desliz, pues esta anécdota no se refiere al emperador romano Tiberio (14-37 d. C.), sino al emperador Claudio (41-54 d. C.), tal y como recoge Suetonio en su *Vida de los doce Césares* (V, 39). Con todo, también es cierto que el nombre completo de éste era Tiberio Claudio César Augusto Germánico, por lo que el Fénix podría estar refiriéndose a su primer nombre.   2207-2208. *si no hay misterio / en dividir a los dos*: 'si no existe algún motivo secreto por el que hayas separado a Aurora y el Marqués'. 2214. Lope probablemente tomó la anécdota de que el orador Mesala Corvino olvidó su propio nombre del capítulo que Ravisius Textor dedica en su *Officina* a la memoria (*Obliviosi et qui memoria exciderunt*), quien a su vez reproduce la fuente original, la *Historia natural* (VII, 24) de Plinio el Viejo.   2215. Federico, consciente de la naturaleza incestuosa y adúltera de su amor hacia Casandra, ha atentado contra la sociedad, olvidando sus obligaciones como hombre e hijo.   2216. *villano*: 'habitante de una villa y que, además, no pertenece a la nobleza'.   2220. *Ojinegra*: 'De ojos negros'.   2222. 'y digo desatinos a causa del olvido'.   2224. *macho*: 'mulo'; *enfrenado*: 'con el freno echado en la boca', por lo que el animal no podía comer. Este cuentecillo del vizcaíno que se queja

y, viendo que no comía, 2225
regalándole las clines,
un galeno de rocines
trujo a ver lo que tenía;
el cual, viéndole con freno,
fuera al vizcaíno echó; 2230
quitole, y cuando volvió,
de todo el pesebre lleno
apenas un grano había,
porque con gentil despacho,
después de la paja, el macho 2235
hasta el pesebre comía.
«Albéitar, juras a Dios,
—dijo— es mejor que dotora,
y yo y macho desde agora
queremos curar con vos». 2240
¿Qué freno es éste que tienes
que no te deja comer,
si médico puedo ser?
¿Qué aguardas? ¿Qué te detienes?
FEDERICO ¡Ay, Batín, no sé de mí! 2245
BATÍN Pues estese la cebada
queda, y no me digas nada.

de que su mulo enfrenado no puede comer fue muy popular en los Siglos de Oro y distintos autores se hicieron eco de él. La figura del vizcaíno, caracterizado siempre con problemas para expresarse correctamente en castellano y con frecuencia como simple o algo torpón, fue un personaje cómico que se popularizó por su uso en diversas obras literarias de la época. **2226.** *regalándole*: 'acariciándole'; *clines*: 'crines'; era la forma corriente en el siglo XVII. **2227.** perífrasis jocosa por 'veterinario'. **2231.** *quitole*: 'quitó el freno'. **2234.** *gentil despacho*: 'briosa determinación'. **2237.** *Albéitar*: 'Veterinario', del árabe hispánico *albaytar*. **2238.** *dotora*: 'doctora', por reducción del grupo consonántico culto *–ct–*. **2240.** *curar con vos*: 'que vos nos curéis'. Este parlamento es una parodia de las dificultades que tenían los vascoparlantes al hablar en castellano (y que caracteriza el habla del personaje literario del vizcaíno), en concreto por su tendencia a emplear la segunda persona del singular en vez de la primera (por ejemplo, el *juras a Dios* del v. 2237) y por alterar el orden usual de las palabras. **2245.** *no sé de mí*: 'estoy enajenado'. **2247.** *queda*: 'quieta, sin consumir'.

Entren Casandra y Lucrecia

CASANDRA	¿Ya viene?
LUCRECIA	Señora, sí.
CASANDRA	¿Tan brevemente?
LUCRECIA	Por verte

toda la gente dejó.   2250

CASANDRA No lo creas; pero yo
más quisiera ver mi muerte.
    En fin, señor Conde, ¿viene
el Duque, mi señor?

FEDERICO   Ya

dicen que muy cerca está;   2255
bien muestra el amor que os tiene.

Aparte

CASANDRA   Muriendo estoy de pesar
de que ya no podré verte
como solía.

FEDERICO   ¿Qué muerte
pudo mi amor esperar   2260
    como su cierta venida?

CASANDRA Yo pierdo, Conde, el sentido.

FEDERICO Yo no, porque le he perdido.

CASANDRA Sin alma estoy.

FEDERICO   Yo, sin vida.

CASANDRA ¿Qué habemos de hacer?

FEDERICO   Morir.   2265

CASANDRA ¿No hay otro remedio?

FEDERICO   No,

2249. ¿*Tan brevemente?*: '¿Tan rápidamente?'. **Acot.** A partir de este punto
comienza un intercambio de réplicas entre Casandra y Federico en aparte que
se mantiene hasta el final de la escena, durante la cual Batín y Lucrecia siguen
presentes en el tablado, pero lo suficientemente apartados de sus señores como
para no poder escuchar lo que dicen.

	porque en perdiéndote yo,	
	¿para qué quiero vivir?	
CASANDRA	¿Por eso me has de perder?	
FEDERICO	Quiero fingir desde agora	2270
	que sirvo y que quiero Aurora,	
	y aun pedirla por mujer	
	al Duque, para desvelos	
	dél y de palacio, en quien	
	yo sé que no se habla bien.	2275
CASANDRA	¿Agravios? ¿No bastan celos?	
	¿Casarte? ¿Estás, Conde, en ti?	
FEDERICO	El peligro de los dos	
	me obliga.	
CASANDRA	¿Qué? Vive Dios,	
	que si te burlas de mí	2280
	después que has sido ocasión	
	desta desdicha, que a voces	
	diga —¡oh, qué mal me conoces!—	
	tu maldad y mi traición.	
FEDERICO	Señora...	
CASANDRA	No hay qué tratar.	2285
FEDERICO	Que te oirán.	
CASANDRA	¡Que no me impidas!	
	Quíteme el Duque mil vidas,	
	pero no te has de casar.	

Floro, Febo, Ricardo, Albano, Lucindo, el Duque detrás,
galán, de soldado

RICARDO	Ya estaban disponiendo recibirte.	
DUQUE	Mejor sabe mi amor adelantarse.	2290

2269. *me has de perder*: 'has de ser mi perdición'. 2273. *desvelos*: aquí, con el sentido de 'distracciones'. 2274. *en quien*: 'donde'; el antecedente es *palacio*. 2286. *impidas*: 'estorbes'. **Acot.** *galán, de soldado*: el actor que interpretara al Duque aparecería en escena con la vestimenta y armas propias de soldados, adornadas con muchas galas por su condición de general victorioso.

CASANDRA   ¿Es posible, señor, que persuadirte
                 pudiste a tal agravio?

FEDERICO   Y de agraviarse
             quejosa mi señora la Duquesa
             parece que mi amor puede culparse.

DUQUE   Hijo, el paterno amor, que nunca
                               [cesa   2295
             de amar su propia sangre y semejanza,
             para venir facilitó la empresa;
                 que ni cansancio ni trabajo alcanza
             a quien de ver a sus queridas prendas
             más hiciera en sufrir larga esperanza.   2300
                 Y tú, señora, así es razón que
                               [entiendas
             el mismo amor, y en igualarte al Conde
             por encarecimiento no te ofendas.

CASANDRA   Tu sangre y su virtud, señor, responde
             que merece el favor; yo le agradezco,   2305
             pues tu valor al suyo corresponde.

DUQUE   Bien sé que a entrambos ese amor
                               [merezco
             y que estoy de los dos tan obligado
             cuanto mostrar en la ocasión me ofrezco.
                 Que Federico gobernó mi estado   2310
             en mi ausencia, he sabido, tan discreto
             que vasallo ninguno se ha quejado.
                 En medio de las armas os prometo

2292. El *agravio* al que se refiere Casandra es la decisión del Duque de adelantar su llegada a Ferrara y hacerlo sin previo aviso, con lo que no les ha dado tiempo a llevar a cabo los preparativos para su entrada triunfal en la ciudad. 2294. 'Parece que mi amor es el culpable de que Casandra se ofenda', por querer el Duque llegar lo antes posible a Ferrara para ver a su hijo, aunque todavía no estuvieran preparados los recibimientos.   2298. *trabajo*: 'penalidad, esfuerzo'.   2299-2300. 'para una persona supone más cansancio y esfuerzo tener que esperar durante largo tiempo para poder ver a las personas a las que se quiere que las fatigas y penalidades que pasa en el camino de regreso'.   2302-2303. 'no te ofendas si al Conde igualo contigo con mi alabanza'.

que imaginaba yo con la prudencia
que se mostraba senador perfeto.   2315
¡Gracias a Dios que con infame
       [ausencia
los enemigos del pastor romano
respetan en mi espada su presencia!
Ceñido de laurel besé su mano
después que me miró Roma triunfante   2320
como si fuera el español Trajano;
  y así, pienso trocar de aquí adelante
la inquietud en virtud porque mi nombre,
como le aplaude aquí, después le cante;
  que cuando llega a tal estado un
       [hombre   2325
no es bien que, ya que de valor mejora,
el vicio, más que la virtud, le nombre.

RICARDO   Aquí vienen, señor, Carlos y Aurora.

Carlos y Aurora

AURORA   Tan bien venido Vuestra Alteza sea
como le está esperando quien le adora.   2330

MARQUÉS   Dad las manos a Carlos, que desea
que conozcáis su amor.

2314-2315. *con la prudencia que se mostraba*: 'la prudencia con que se mostraba'; *senador*: aquí tiene el sentido general de 'gobernante'.   2316. *infame ausencia*: 'deshonrosa huida', como se aclara más adelante (v. 2347).   2320. *Roma triunfante*: 'Roma engalanada para la celebración de la entrada triunfal'.   2321. *el español Trajano*: referencia a Marco Ulpio Trajano, emperador romano entre 98-117 d. C. De origen hispano, destacó por sus victorias militares y su consolidación del imperio, pero también por su fama de gobernante justo, por su política de regeneración social y por las obras públicas que puso en marcha.   2322. *trocar*: 'cambiar'.   2323. *inquietud*: 'vicio', que se deriva del matiz moral que aquí tiene el significado de 'travesura' del término.   2324. El Duque quiere no sólo que su nombre sea alabado en ese momento por sus victorias militares (*le aplaude aquí*), sino que perdure y sea loado por su virtud (*después le cante*).   2326. *de valor mejora*: 'alcanza mayor gloria'.   2327. *le nombre*: 'le dé nombre, le haga famoso'. El Duque expresa su voluntad de reformarse y abandonar la vida viciosa.

DUQUE   Paguen los brazos
          deudas del alma en quien tan bien se
                                          [emplea.
             Aunque siente el amor los largos plazos,
          todo lo goza el venturoso día   2335
          que llega a merecer tan dulces lazos.
             Con esto, amadas prendas, yo querría
          descansar del camino, y porque es tarde,
          después celebraréis tanta alegría.
FEDERICO   Un siglo el cielo, gran señor, te guarde.   2340

Todos se van con el Duque y quedan Batín y Ricardo

BATÍN   ¡Ricardo amigo!
RICARDO   ¡Batín!
BATÍN   ¿Cómo fue por esas guerras?
RICARDO   Como quiso la justicia,
          siendo el cielo su defensa.
          Llana queda Lombardía,   2345
          y los enemigos quedan
          puestos en fuga afrentosa
          porque el león de la Iglesia
          pudo con sólo un bramido
          dar con sus armas en tierra.   2350
          El Duque ha ganado un nombre
          que por toda Italia suena;
          que, si mil mató Saúl,
          cantan por él las doncellas
          que David mató cien mil;   2355
          con que ha sido tal la enmienda

2333. *se emplea*: 'se emplea el amor'.   2345. *Llana*: 'Libre'.   2348. *el león de la
Iglesia*: perífrasis por 'el Duque'.   2353-2355. Alusión al cántico que, según se
relata en la Biblia (Samuel I, 18), entonaron las mujeres de Israel después de que
el pastor David matara al gigante filisteo Goliat. Este canto despertó la envidia
de Saúl, rey de Israel, al ver que se loaba más la victoria de David, su futuro su-
cesor, que las suyas propias.   2356. *enmienda*: 'corrección moral'.

que traemos otro Duque.
Ya no hay damas, ya no hay cenas,
ya no hay broqueles ni espadas,
ya solamente se acuerda   2360
de Casandra; ni hay amor
más que el Conde y la Duquesa:
el Duque es un santo ya.

BATÍN   ¿Qué me dices? ¿Qué me cuentas?

RICARDO   Que como otros con las dichas   2365
dan en vicios y en soberbias,
tienen a todos en poco
—tan inmortales se sueñan—,
el Duque se ha vuelto humilde
y parece que desprecia   2370
los laureles de su triunfo;
que el aire de las banderas
no le ha dado vanagloria.

BATÍN   ¡Plega al cielo que no sea,
después destas humildades,   2375
como aquel hombre de Atenas
que pidió a Venus le hiciese
mujer, con ruegos y ofrendas,
una gata dominica,
quiero decir, blanca y negra!   2380
Estando en su estrado un día

2359. *broqueles*: 'escudos pequeños de forma redonda hechos de madera'. Tal vez
sea una alusión a las armas defensivas que podían llevar el Duque y sus criados
durante sus correrías nocturnas (las *damas y cenas*).   2374. *Plega al cielo*: 'Quiera
el cielo'; *plega* es la forma etimológica del presente de subjuntivo del verbo *placer*.   2376. La historia que a continuación refiere Batín es una fábula de Esopo
ampliamente difundida en la España del siglo XVII. La moraleja de la historia es
que las costumbres primitivas se conservan aunque se cambie de condición y estado.   2377-2378. *le hiciese mujer*: 'le transformase en mujer'.   2379. La *gata* es
dominica porque su pelaje es blanco y negro, los mismos colores que los del hábito de los miembros de la orden religiosa de los dominicos.   2381. *estrado*: 'tarima situada en una habitación de aproximadamente un palmo de altura', que solía cubrirse con alfombras, cojines y sillas, y donde las mujeres principales se

con moño y naguas de tela,
vio pasar un animal
de aquestos, como poetas,
que andan royendo papeles,   2385
y, dando un salto ligera
de la tarima al ratón,
mostró que en naturaleza
la que es gata será gata,
la que es perra será perra,   2390
in secula seculorum.

RICARDO   No hayas miedo tú que vuelva
el Duque a sus mocedades,
y más si a los hijos llega,
que con las manillas blandas   2395
las barbas más graves peinan
de los más fieros leones.

BATÍN   Yo me holgaré de que sea
verdad.

RICARDO   Pues, Batín, adiós.

BATÍN   ¿Dónde vas?

RICARDO   Fabia me espera.   2400

Vase
Entre el Duque con algunos memoriales

acomodaban para pasar sus ratos de ocio o donde recibían a las visitas.   **2382.** *na-guas de tela*: 'falda larga que se lleva debajo del vestido a modo de prenda interior, hecha con un tejido de oro o plata'. La forma *nagua* es una variante etimológica derivada del taíno *nagua*, que alternaba en el sigo XVII con la más moderna de *enaguas*.   **2383-2385.** 'un ratón'. Lope compara a los ratones con los poetas porque éstos muchas veces *roen papeles* en un doble sentido metafórico: murmuran y dicen mal de los poemas escritos por otros y, al mismo tiempo, plagian los versos de sus competidores.   **2391.** *in secula seculorum*: 'por los siglos de los siglos, para siempre', expresión latina empleada en la liturgia y procedente de la Biblia (Romanos I, 25).   **2393.** *mocedades*: 'travesuras propias de la juventud, vicios'. **2395-2397.** Recuérdense los vv. 296-303.   **2398.** *me holgaré*: 'me alegraré'. **2400.** *Fabia*: única mención en toda la obra de este personaje femenino, que se supone dama de Ricardo.   **Acot.** *memoriales*: 'escritos en los que se pide una merced a un señor, alegando los méritos en los que se funda la solicitud'.

DUQUE	¿Está algún criado aquí?
BATÍN	Aquí tiene Vuestra Alteza
	el más humilde.
DUQUE	¡Batín!
BATÍN	Dios te guarde; bueno llegas.
	Dame la mano.
DUQUE	¿Qué hacías?

2405

BATÍN	Estaba escuchando nuevas
	de tu valor a Ricardo,
	que, gran coronista dellas,
	Hétor de Italia te hacía.
DUQUE	¿Cómo ha pasado en mi ausencia

2410

	el gobierno con el Conde?
BATÍN	Cierto, señor, que pudiera
	decir que igualó en la paz
	tus hazañas en la guerra.
DUQUE	¿Llevose bien con Casandra?

2415

BATÍN	No se ha visto, que yo sepa,
	tan pacífica madrastra
	con su alnado; es muy discreta,
	y muy virtuosa y santa.
DUQUE	No hay cosa que la agradezca

2420

	como estar bien con el Conde;
	que, como el Conde es la prenda
	que más quiero y más estimo,
	y conocí su tristeza
	cuando a la guerra partí,

2425

	notablemente me alegra
	que Casandra se portase
	con él con tanta prudencia
	que estén en paz y amistad,
	que es la cosa que desea

2430

2408. *coronista*: forma usual del término 'cronista' en la lengua medieval y clásica.   **2409.** *Hétor*: referencia a Héctor, el héroe troyano y por antonomasia 'defensor valeroso'.   **2420.** *la agradezca*: 'le agradezca'; Lope era también laísta.

mi alma con más afecto
de cuantas pedir pudiera
al cielo; y así en mi casa
hoy dos vitorias se cuentan:
la que de la guerra traigo   2435
y la de Casandra bella
conquistando a Federico.
Yo pienso de hoy más quererla
sola en el mundo, obligado
desta discreta fineza   2440
y cansado juntamente
de mis mocedades necias.

BATÍN   Milagro ha sido del Papa
llevar, señor, a la guerra
al duque Luis de Ferrara   2445
y que un ermitaño vuelva.
¡Por Dios, que puedes fundar
otra Camáldula!

DUQUE   Sepan
mis vasallos que otro soy.

BATÍN   Mas dígame Vuestra Alteza,   2450
¿cómo descansó tan poco?

DUQUE   Porque al subir la escalera
de palacio algunos hombres
que aguardaban mi presencia
me dieron estos papeles,   2455
y, temiendo que son quejas,
quise descansar en verlos
y no descansar con ellas.

2438. *de hoy*: 'desde hoy en adelante'.   2439. *más quererla / sola en el mundo*: 'querer sólo a Casandra en el mundo'.   2448. *Camáldula*: orden monástica fundada por San Romualdo en el siglo XI en la zona de Camaldoli, en la Toscana, la cual buscaba integrar la tradición eremítica con la vida comunitaria propia de la reforma benedictina.   2457-2458. 'quise tranquilizar mi conciencia cumpliendo con mi obligación como gobernante y leer estos memoriales en vez de descansar dejando las quejas sin atender'.

Vete y déjame aquí solo,
que deben los que gobiernan   2460
esta atención a su oficio.

BATÍN   El cielo, que remunera
el cuidado de quien mira
el bien público, prevenga
laureles a tus vitorias,   2465
siglos a tu fama eterna.

Vase

DUQUE   Éste dice:

Lea

«Señor, yo soy Estacio,
que estoy en los jardines de palacio
y, enseñado a plantar yerbas y flores,
planté seis hijos: a los dos mayores   2470
suplico que le deis...» Basta, ya entiendo.
Con más cuidado ya premiar pretendo.

Lea

«Lucinda dice que quedó viuda
del capitán Arnaldo...» También pide.

Lea

«Albano, que ha seis años que reside...»   2475
Éste pide también.

2469. *enseñado a*: 'experto en'.   2471. En el manuscrito autógrafo figura *le* y en
la época era posible que un pronombre en singular se refiriera a un antecedente en plural (*los dos mayores* del v. 2471); el resto de testimonios impresos y manuscritos del siglo XVII corrigen por 'les'.   2473. Este verso queda suelto respecto al resto de endecasílabos pareados.

Lea

«Julio Camilo,
preso porque sacó...» Del mismo estilo.

Lea

«Paula de San Germán, doncella honrada...»
Pues, si es honrada, no le falta nada,
si no quiere que yo le dé marido.   2480
Éste viene cerrado, y mal vestido
un hombre me le dio todo turbado,
que quise detenerle con cuidado.

Lea

«Señor, mirad por vuestra casa atento,
que el Conde y la Duquesa, en vuestra
                    [ausencia...»   2485
No me ha sido traidor el pensamiento:
habrán regido mal; tendré paciencia.

Lea

«ofenden con infame atrevimiento
vuestra cama y honor.» ¿Qué resistencia
harán a tal desdicha mis enojos?   2490

Lea

«Si sois discreto, os lo dirán los ojos.»
       ¿Qué es esto que estoy mirando?
Letras, ¿decís esto o no?
¿Sabéis que soy padre yo

2481. *mal vestido*: 'con mal aspecto'.

de quien me estáis informando   2495
que el honor me está quitando?
¡Mentís, que no puede ser!
¿Casandra me ha de ofender?
¿No véis que es mi hijo el Conde?
Pero ya el papel responde   2500
que es hombre, y ella mujer.
¡Oh fieras letras, villanas!
Pero direisme que sepa
que no hay maldad que no quepa
en las flaquezas humanas.   2505
De las iras soberanas
debe de ser permisión.
Ésta fue la maldición
que a David le dio Natán;
la misma pena me dan,   2510
y es Federico Absalón.
   Pero mayor viene a ser,
cielo, si así me castigas;
que aquéllas eran amigas
y Casandra es mi mujer.   2515
El vicioso proceder
de las mocedades mías
trujo el castigo y los días
de mi tormento, aunque fue
sin gozar a Bersabé   2520
ni quitar la vida a Urías.

2506. *soberanas*: aquí, con el sentido de 'divinas'.   **2508-2511.** El rey *David* se enamoró de Betsabé, mujer de su soldado Urías, y mandó a la muerte a su vasallo para poder casarse con ella, lo que le valió la maldición de Dios por medio del profeta *Natán*, quien auguró a David que su perdición saldría de su propia casa y que sus mujeres serían poseídas en público por su prójimo (II Samuel, 11 y 12, 1-11). Unos años más tarde la profecía se cumplió cuando *Absalón*, hijo de David, se alzó en armas contra su padre y, tras entrar en Jerusalén, se acostó públicamente con las concubinas de David para demostrar que su enfrentamiento con él era irrevocable (II Samuel, 16, 15-23).   **2512.** El sujeto es 'mi pena'.   **2514.** *amigas*: 'concubinas'.   **2520.** La forma *Bersabé* por Betsabé no era rara en la época.

¡Oh traidor hijo, si ha sido
verdad! Porque yo no creo
que emprenda caso tan feo
hombre de otro hombre nacido.   2525
Pero si me has ofendido,
¡oh, si el cielo me otorgara
que, después que te matara,
de nuevo a hacerte volviera,
pues tantas muertes te diera   2530
cuantas veces te engendrara!
   ¡Qué deslealtad! ¡Qué violencia!
¡Oh ausencia, qué bien se dijo
que aun un padre de su hijo
no tiene segura ausencia!   2535
¿Cómo sabré con prudencia
verdad que no me disfame
con los testigos que llame?
Ni así la podré saber,
porque ¿quién ha de querer   2540
decir verdad tan infame?
   Mas ¿de qué sirve informarme?
Pues esto no se dijera
de un hijo cuando no fuera
verdad que pudo infamarme.   2545
Castigarle no es vengarme,
ni se venga el que castiga
ni esto a información me obliga;
que mal que el honor estraga
no es menester que se haga,   2550
porque basta que se diga.

Entre Federico

2524. *caso*: aquí, con el sentido de 'crimen'.   2535. 'no puede ausentarse tran-
quilo'.   2537. *disfame*: 'difame'.

FEDERICO	Sabiendo que no descansas, vengo a verte.	
DUQUE	Dios te guarde.	
FEDERICO	Y a pedirte una merced.	
DUQUE	Antes que la pidas, sabes	2555
	que mi amor te la concede.	
FEDERICO	Señor, cuando me mandaste	
	que con Aurora, mi prima,	
	por tu gusto me casase,	
	lo fuera notable mío,	2560
	pero fueron más notables	
	los celos de Carlos, y ellos	
	entonces causa bastante	
	para no darte obediencia;	
	mas después que te ausentaste,	2565
	supe que mi grande amor	
	hizo que ilusiones tales	
	me trujesen divertido.	
	En efeto, hicimos paces	
	y le prometí, señor,	2570
	en satisfación casarme	
	como me dieses licencia	
	luego que el bastón dejases.	
	Ésta te pido y suplico.	
DUQUE	No pudieras, Conde, darme	2575
	mayor gusto. Vete agora	
	porque trate con tu madre,	
	pues es justo darle cuenta;	
	que no es razón que te cases	
	sin que lo sepa y le pidas	2580
	licencia, como a tu padre.	
FEDERICO	No siendo su sangre Aurora,	

2568. *divertido*: 'distraído'.   **2571.** *en satisfación*: 'en disculpa por mi comportamiento anterior'.   **2572.** *como*: 'en cuanto'.   **2573.** *bastón*: 'insignia del mando militar'.   **2582.** Las ediciones impresas del siglo XVII sustituyen *Aurora* por *yo*, centrando toda la conversación en torno a la vinculación entre Federico y

	¿para qué quiere dar parte	
	Vuestra Alteza a mi señora?	
DUQUE	¿Qué importa no ser su sangre,	2585
	siendo tu madre Casandra?	
FEDERICO	Mi madre Laurencia yace	
	muchos años ha difunta.	
DUQUE	¿Sientes que madre la llame?	
	Pues dícenme que en mi ausencia	2590
	—de que tengo gusto grande—	
	estuvistes muy conformes.	
FEDERICO	Eso, señor, Dios lo sabe,	
	que prometo a Vuestra Alteza	
	—aunque no acierto en quejarme,	2595
	pues la adora, y es razón—	
	que aunque es para todos ángel,	
	que no lo ha sido conmigo.	
DUQUE	Pésame de que me engañen,	
	que me dicen que no hay cosa	2600
	que más Casandra regale.	
FEDERICO	A veces me favorece	
	y a veces quiere mostrarme	
	que no es posible ser hijos	
	los que otras mujeres paren.	2605
DUQUE	Dices bien y yo lo creo,	
	y ella pudiera obligarme	
	más que en quererme en quererte,	
	pues con estas amistades	
	aseguraba la paz.	2610
	Vete con Dios.	
FEDERICO	Él te guarde.	

Vase

Casandra. **2591.** 'lo que me alegra mucho'. **2592.** 'estuvisteis muy bien avenidos'. **2595.** *no acierto*: 'no tengo motivo'. **2601.** *regale*: 'trate con afecto'.

DUQUE   No sé cómo he podido
mirar, Conde traidor, tu infame cara.
¡Qué libre! ¡Qué fingido!
Con la invención de Aurora se repara   2615
para que yo no entienda
que puede ser posible que me ofenda.
Lo que más me asegura
es ver con el cuidado y diligencia
que a Casandra murmura   2620
que le ha tratado mal en esta ausencia;
que piensan los delitos
que callan cuando están hablando a gritos.
De que la llame madre
se corre, y dice bien, pues es su amiga   2625
la mujer de su padre,
y no es justo que ya madre se diga.
Pero yo, ¿cómo creo
con tal facilidad caso tan feo?
¿No puede un enemigo   2630
del Conde haber tan gran traición
                              [forjado
porque con su castigo,
sabiendo mi valor, quede vengado?
Ya de haberlo creído,
si no estoy castigado, estoy corrido.   2635

Entre Casandra, y Aurora

AURORA   De vos espero, señora,
mi vida en esta ocasión.
CASANDRA   Ha sido digna elección

2614. *libre*: 'desvergonzado'. **2615.** *se repara*: 'se precave, se protege'. **2618.** 'lo que más confirma mi sospecha'. **2620.** 'con que murmura de Casandra'. **2625.** *se corre*: 'se avergüenza, se ofende'; *amiga*: 'amante'. **2633.** *valor*: 'resolución, furia'.

de tu entendimiento, Aurora.

AURORA   Aquí está el Duque.

CASANDRA   Señor,   2640
¿tanto desvelo?

DUQUE   A mi estado
debo, por lo que he faltado,
estos indicios de amor,
    si bien del Conde y de vos
ha sido tan bien regido,   2645
como muestra agradecido
este papel, de los dos:
    todos alaban aquí
lo que los dos merecéis.

CASANDRA Al Conde, señor, debéis   2650
ese cuidado, no a mí;
    que sin lisonja os prometo
que tiene heroico valor,
en toda acción superior,
gallardo como discreto: 2655
    un retrato vuestro ha sido.

DUQUE   Ya sé que me ha retratado
tan igual en todo estado
que por mí le habéis tenido;
    de que os prometo, señora,   2660
debida satisfación.

CASANDRA Una nueva petición
os traigo, señor, de Aurora:
    Carlos la pide, ella quiere
y yo os lo suplico.

DUQUE   Creo   2665
que le ha ganado el deseo
quien en todo le prefiere.
    El Conde se va de aquí

2641. *desvelo*: 'diligencia en el oficio'; *mi estado*: 'mis dominios'.   **2667.** *le prefiere*: 'le aventaja'.

	y me la ha pedido agora.	
CASANDRA	¿El Conde ha pedido a Aurora?	2670
DUQUE	Sí, Casandra.	
CASANDRA	¿El Conde?	
DUQUE	Sí.	
CASANDRA	Sólo de vos lo creyera.	
DUQUE	Y así se la pienso dar;	

mañana se han de casar.

CASANDRA   Será como Aurora quiera.   2675
AURORA   Perdóneme Vuestra Alteza,
que el Conde no será mío.
DUQUE   (¿Qué espero más? ¿Qué porfío?)
Pues, Aurora, en gentileza,
entendimiento y valor,   2680
¿no vence al Marqués?
AURORA   No sé.
Cuando quise y le rogué,
él me despreció, señor,
y agora que él quiere, es justo
que yo le desprecie a él.   2685
DUQUE   Hazlo por mí, no por él.
AURORA   El casarse ha de ser gusto;
yo no le tengo del Conde.

Vase Aurora

DUQUE   ¡Estraña resolución!
CASANDRA   Aurora tiene razón,   2690
aunque atrevida responde.
DUQUE   No tiene, y ha de casarse
aunque le pese.
CASANDRA   Señor,
no uséis del poder, que amor
es gusto y no ha de forzarse.   2695

Vase el Duque

>¡Ay de mí, que se ha cansado
>el traidor Conde de mí!

Entre el Conde

FEDERICO	¿No estaba mi padre aquí?
CASANDRA	¿Con qué infame desenfado,
	traidor Federico, vienes,
	habiendo pedido a Aurora
	al Duque?
FEDERICO	Paso, señora;
	mira el peligro que tienes.
CASANDRA	¿Qué peligro, cuando estoy,
	villano, fuera de mí?
FEDERICO	¿Pues tú das voces ansí?

Entre el Duque asechando

DUQUE	(Buscando testigos voy.
	Desde aquí quiero escuchar;
	que, aunque mal tengo de oír,
	lo que no puedo sufrir
	es lo que vengo a buscar.)
FEDERICO	Oye, señora, y repara
	en tu grandeza siquiera.
CASANDRA	¿Cuál hombre en el mundo hubiera
	que cobarde me dejara
	después de haber obligado
	con tantas ansias de amor
	a su gusto mi valor?
FEDERICO	Señora, aún no estoy casado.

Números de verso: 2700, 2705, 2710, 2715.

2702. *Paso*: 'Cuidado'. **Acot.** *asechando*: 'observando cautelosamente'.
2708. *aquí*: el actor que interpretara al Duque se asomaría al tablado desde una de las puertas situadas al fondo del escenario, ocultándose detrás de las cortinas que cubrían estas puertas cuando no estaban en uso.   **2709.** Referencia al refrán 'Quien escucha su mal oye' (véase también el v. 147).

　　Asegurar pretendí　　　　　　　2720
al Duque, y asegurar
nuestra vida, que durar
no puede, Casandra, ansí;
　　que no es el Duque algún hombre
de tan baja condición　　　　　　　2725
que a sus ojos —ni es razón—
se infame su ilustre nombre.
　　Basta el tiempo que tan ciegos
el amor nos ha tenido.

CASANDRA　¡Oh cobarde, mal nacido!　　　2730
Las lágrimas y los ruegos
　　hasta hacernos volver locas,
robando las honras nuestras
—que de las traiciones vuestras
cuerdas se libraron pocas—,　　　　2735
　　¿agora son cobardías?
Pues, perro, sin alma estoy.

DUQUE　　(Si aguardo, de mármol soy.
¿Qué esperáis, desdichas mías?
　　Sin tormento han confesado,　　2740
pero sin tormento no,
que claro está que soy yo
a quien el tormento han dado.
　　No es menester más testigo:
confesaron de una vez;　　　　　　2745
prevenid, pues sois juez,
honra, sentencia y castigo.
　　Pero de tal suerte sea
que no se infame mi nombre,
que en público siempre a un hombre　　2750
queda alguna cosa fea,
　　y no es bien que hombre nacido

2720. *Asegurar*: 'Tranquilizar, Persuadir de que nada ha pasado'.　　2741. *tormento*: 'angustia', frente al sentido de 'tortura' que tiene en el verso anterior.

> sepa que yo estoy sin honra,
> siendo enterrar la deshonra
> como no haberla tenido;   2755
>   que aunque parece defensa
> de la honra el desagravio,
> no deja de ser agravio
> cuando se sabe la ofensa.)

Vase

CASANDRA	¡Ay desdichadas mujeres!	2760
	¡Ay hombre falsos, sin fe!	
FEDERICO	Digo, señora, que haré	
	todo lo que tú quisieres,	
	y esta palabra te doy.	
CASANDRA	¿Será verdad?	
FEDERICO	Infalible.	2765
CASANDRA	Pues no hay a amor imposible.	
	Tuya he sido y tuya soy;	
	no ha de faltar invención	
	para vernos cada día.	
FEDERICO	Pues vete, señora mía,	2770
	y, pues tienes discreción,	
	finge gusto –pues es justo–	
	con el Duque.	
CASANDRA	Así lo haré	
	sin tu ofensa; que yo sé	
	que el que es fingido no es gusto.	2775

Vanse los dos. Entren Aurora y Batín

2761. *sin fe*: 'sin palabra'.   **2766.** Referencia al motivo clásico en la cultura del siglo XVII del amor como fuerza victoriosa por encima de todas las cosas, y que remite a la sentencia latina *Omnia vincit amor*, proveniente de Virgilio (*Bucó-licas*, X, v. 69).

BATÍN	Yo he sabido, hermosa Aurora,
	que ha de ser o ya lo es
	tu dueño el señor Marqués,
	y que a Mantua os vais, señora,
	y así, os vengo a suplicar
	que allá me llevéis.

BATÍN 	Yo he sabido, hermosa Aurora,
que ha de ser o ya lo es
tu dueño el señor Marqués,
y que a Mantua os vais, señora,
y así, os vengo a suplicar   2780
que allá me llevéis.

AURORA   Batín,
mucho me admiro. ¿A qué fin
al Conde quieres dejar?

BATÍN 	Servir mucho y medrar poco
es un linaje de agravio   2785
que al más cuerdo, que al más sabio
o le mata o vuelve loco:
	hoy te doy, mañana no,
quizá te daré después.
Yo no sé *quizá* quién es,   2790
mas sé que nunca *quizó*.
	Fuera desto, está endiablado
el Conde. No sé qué tiene:
ya triste, ya alegre viene;
ya cuerdo, ya destemplado.   2795
	La Duquesa, pues, también
insufrible y desigual;
pues donde va a todos mal,
¿quieres que me vaya bien?
	El Duque, santo fingido, 2800
consigo a solas hablando,
como hombre que anda buscando
algo que se le ha perdido.
	Toda la casa lo está;
contigo a Mantua me voy.   2805

AURORA 	Si yo tan dichosa soy

2784. *medrar*: 'prosperar, mejorar de posición'.   2785. *un linaje*: 'una clase'.
2795. *destemplado*: 'alterado'.   2797. *desigual*: 'inconstante en su comportamiento'.

que el Duque a Carlos me da,
yo te llevaré conmigo.

BATÍN   Beso mil veces tus pies
y voy a hablar al Marqués.   2810

Vase, y entra el Duque

DUQUE   (¡Ay honor, fiero enemigo!
¿Quién fue el primero que dio
tu ley al mundo? ¡Y que fuese
mujer quien en sí tuviese
tu valor, y el hombre no!   2815
Pues sin culpa el más honrado
te puede perder, honor;
bárbaro legislador
fue tu inventor, no letrado.
Mas dejarla entre nosotros   2820
muestra que fuiste ofendido,
pues esta invención ha sido
para que lo fuesen otros.)
¡Aurora!

AURORA   ¿Señor?

DUQUE   Ya creo
que con el Marqués te casa   2825
la Duquesa, y yo a su ruego;
que más quiero contentarla
que dar este gusto al Conde.

CASANDRA   Eternamente obligada
quedo en servirte.

DUQUE   Bien puedes   2830
decir a Carlos que a Mantua
escriba al Duque, su tío.

2813. *tu ley*: 'código del honor'. **2814-2815.** El Duque se refiere al hecho de que el honor conyugal depende de la mujer, de su conducta y de su fidelidad.
2819. *letrado*: 'instruido'. **2823.** *lo fuesen*: 'fuesen ofendidos'.

AURORA   Voy donde el Marqués aguarda
           tan dichosa nueva.

                    Vase

DUQUE   Cielos,
           hoy se ha de ver en mi casa   2835
           no más de vuestro castigo:
           alzad la divina vara.
           No es venganza de mi agravio,
           que yo no quiero tomarla
           en vuestra ofensa, y de un hijo   2840
           ya fuera bárbara hazaña.
           Éste ha de ser un castigo
           vuestro no más porque valga
           para que perdone el cielo
           el rigor por la templanza.   2845
           Seré padre y no marido,
           dando la justicia santa
           a un pecado sin vergüenza
           un castigo sin venganza.
           Esto disponen las leyes   2850
           del honor, y que no haya
           publicidad en mi afrenta
           con que se doble mi infamia.
           Quien en público castiga
           dos veces su honor infama,   2855
           pues, después que le ha perdido,
           por el mundo le dilata.
           La infame Casandra dejo
           de pies y manos atada,
           con un tafetán cubierta,   2860
           y, por no escuchar sus ansias,

2837. *vara*: 'el bastón que simboliza la justicia'.   2857. *le dilata*: 'lo extiende'.
2860. *tafetán*: 'tela de seda delgada y muy tupida'.

con una liga en la boca,
porque, al decirle la causa,
para cuanto quise hacer
me dio lugar, desmayada.   2865
Esto aun pudiera, ofendida,
sufrir la piedad humana,
pero dar la muerte a un hijo,
¿qué corazón no desmaya?
Sólo de pensarlo —¡ay triste!—   2870
tiembla el cuerpo, espira el alma,
lloran los ojos, la sangre
muere en las venas heladas,
el pecho se desalienta,
el entendimiento falta,   2875
la memoria está corrida
y la voluntad turbada;
como arroyo que detiene
el hielo de noche larga,
del corazón a la boca   2880
prende el dolor las palabras.
¿Qué quieres, amor? ¿No ves
que Dios a los hijos manda
honrar los padres, y el Conde
su mandamiento quebranta?   2885
Déjame, amor, que castigue
a quien las leyes sagradas
contra su padre desprecia,
pues tengo por cosa clara
que, si hoy me quita la honra,   2890
la vida podrá mañana.
Cincuenta mató Artajerjes

2871. *espira*: 'expira, fallece'.   2874. *se desalienta*: 'pierde el aliento'.   2885. Se refiere el Duque al precepto bíblico de honrar al padre y la madre fijado por Dios en el decálogo (Éxodo 20, 3-17 y Deuteronomio 5, 7-21).   2892-2894. Lope toma estas referencias a personajes de la antigüedad que aplicaron severamente las leyes a sus hijos del capítulo que Ravisius Textor dedica en su *Officina* a pa-

con menos causa, y la espada
de Dario, Torcato y Bruto
ejecutó sin venganza   2895
las leyes de la justicia.
Perdona, amor; no deshagas
el derecho del castigo
cuando el honor, en la sala
de la razón presidiendo,   2900
quiere sentenciar la causa.
El fiscal verdad le ha puesto
la acusación y está clara
la culpa, que ojos y oídos
juraron en la probanza.   2905
Amor y sangre, abogados,
le defienden, mas no basta,
que la infamia y la vergüenza
son de la parte contraria.
La ley de Dios, cuando menos,   2910
es quien la culpa relata,
su conciencia quien la escribe.
Pues ¿para qué me acobardas?
Él viene. ¡Ay cielos, favor!

Entre el Conde

---

dres que asesinaron a sus hijos (*Parentes liberorum interfectores*). Allí se refiere
que el rey persa *Artajerjes* Mnemón asesinó a cincuenta hijos suyos por traido-
res. *Dario* (palabra llana por exigencias métricas) es una referencia a Darío III,
rey de Persia entre 336-330 a. C., quien, de acuerdo con la anécdota recogida por
Ravisius Textor, asesinó a su hijo Ariobarzán porque éste apoyaba a Alejandro
Magno y pensaba traicionar a su padre. En tercer lugar, *Torcato* es Tito Manlio
Torcuato, cónsul de la república de Roma entre 235-224 a. C. que ordenó la
muerte de su hijo por participar en un duelo. Por último, Ravisius Textor refiere que *Bruto* fue expulsado de Roma y que asesinó a su hijo cuando éste mostró
su interés por regresar a la ciudad. Se trata probablemente de una alusión a Lu-
cio Junio Bruto, patricio romano que vivió hacia el siglo vi a. C.   **2905.** *probanza*: 'averiguación que se realiza con fines jurídicos'.

FEDERICO	Basta que en palacio anda	2915
	pública fama, señor,	
	que con el marqués Gonzaga	
	casas a Aurora, y que luego	
	se parte con ella a Mantua.	
	¿Mándasme que yo lo crea?	2920
DUQUE	Conde, ni sé lo que tratan	
	ni he dado al Marqués licencia;	
	que traigo en cosas más altas	
	puesta la imaginación.	
FEDERICO	Quien gobierna mal descansa.	2925
	¿Qué es lo que te da cuidado?	
DUQUE	Hijo, un noble de Ferrara	
	se conjura contra mí	
	con otros que le acompañan;	
	fiose de una mujer,	2930
	que el secreto me declara.	
	¡Necio quien dellas se fía,	
	discreto quien las alaba!	
	Llamé al traidor, finalmente,	
	que un negocio de importancia	2935
	dije que con él tenía,	
	y, cerrado en esta cuadra,	
	le dije el caso y, apenas	
	le oyó, cuando se desmaya,	
	con que pude fácilmente,	2940
	en la silla donde estaba,	
	atarle y cubrir el cuerpo	
	porque no viese la cara	
	quien a matarle viniese,	
	por no alborotar a Italia.	2945
	Tú has venido y es más justo	
	hacer de ti confianza	

2920. *lo crea:* aquí, con el sentido de 'lo obedezca, lo acate'.   **2945.** *alborotar:* 'alterar políticamente'.

para que nadie lo sepa.
Saca animoso la espada,
Conde, y la vida le quita,   2950
que a la puerta de la cuadra
quiero mirar el valor
con que mi enemigo matas.

FEDERICO   ¿Pruébasme acaso o es cierto
que conspirar intentaban   2955
contra ti los dos que dices?

DUQUE   Cuando un padre a un hijo manda
una cosa injusta o justa,
¿con él se pone a palabras?
¡Vete, cobarde, que yo...!   2960

FEDERICO   Ten la espada y aquí aguarda,
que no es temor, pues que dices
que es una persona atada.
Pero no sé qué me ha dado,
que me está temblando el alma.   2965

DUQUE   ¡Quédate, infame!

FEDERICO   Ya voy,
que, pues tú lo mandas, basta.
Pero ¡vive Dios!...

DUQUE   ¡Oh perro!

FEDERICO   Ya voy, detente, y si hallara
el mismo César, le diera   2970
por ti —¡ay Dios!— mil estocadas.

Vase metiendo mano

DUQUE   Aquí lo veré: ya llega,
ya con la punta la pasa.

2970. *César*: 'emperador'.   2972. Tras su última intervención, el actor que interpretara a Federico saldría del escenario por una de las puertas del fondo del
escenario. El Duque, a su vez, se acercaría a esta misma puerta para ver lo que
sucede tras ella. Cuando a continuación llama a su gente, los actores entrarían
en el escenario por una puerta diferente.   2973. Era convención del teatro áu-

Ejecute mi justicia
quien ejecutó mi infamia.   2975
¡Capitanes! ¡Hola, gente!
¡Venid los que estáis de guarda!
¡Ah caballeros, criados!
¡Presto!

Entren el Marqués, Aurora, Batín, Ricardo y todos los demás
que se han introducido

MARQUÉS   ¿Para qué nos llamas,
señor, con tan altas voces?   2980

DUQUE   ¿Hay tal maldad? A Casandra
ha muerto el Conde no más
de porque fue su madrastra
y le dijo que tenía
mejor hijo en sus entrañas   2985
para heredarme. ¡Matalde,
matalde! ¡El Duque lo manda!

MARQUÉS   ¿A Casandra?

DUQUE   Sí, Marqués.

MARQUÉS   Pues no volveré yo a Mantua
sin que la vida le quite.   2990

DUQUE   Ya con la sangrienta espada
sale el traidor.

Salga el Conde con la espada desnuda

FEDERICO   ¿Qué es aquesto?

reo que se remontaba a la preceptiva horaciana que la muerte de un personaje
no tuviera lugar en el tablado, sino fuera de la vista del público (véanse también los vv. 2996-2997). **Acot.** *todos los demás que se han introducido*: alusión a
criados tales como Floro, Febo, Albano o Lucindo, los cuales han aparecido
previamente en la tragedia. Es frecuente en Lope que, durante la última escena de una obra, estén presentes en el tablado una gran cantidad de personajes,
lo que sirve para dotar de mayor espectacularidad al cierre de la representación.

Voy a descubrir la cara
del traidor que me decías
y hallo...

DUQUE   ¡No prosigas! ¡Calla!   2995
¡Matalde, matalde!

MARQUÉS   ¡Muera!

FEDERICO   ¡Oh padre! ¿Por qué me matan?

Éntrase el Marqués tras Federico y le mata

DUQUE   En el tribunal de Dios,
traidor, te dirán la causa.
Tú, Aurora, con este ejemplo   3000
parte con Carlos a Mantua,
que él te merece y yo gusto.

AURORA   Estoy, señor, tan turbada
que no sé lo que responda.

BATÍN   Di que sí, que no es sin causa   3005
todo lo que ves, Aurora.

AURORA   Señor, desde aquí a mañana
te daré respuesta.

Salga el Marqués

MARQUÉS   Ya
queda muerto el Conde.

DUQUE   En tanta
desdicha aún quieren los ojos   3010
verle muerto con Casandra.

Acot. En este punto el actor que interpretara al Marqués se abalanzaría sobre
Federico y fingiría matarlo fuera del tablado, tras la puerta del fondo del escenario de la que saliera el Conde.   **3002.** *yo gusto*: 'así lo quiero'.   **Acot.** Los cadáveres de Federico y Casandra se revelarían repentina y dramáticamente
(probablemente tras descorrerse una cortina) en el espacio situado en el aposento bajo central situado en la fachada del escenario, conocido como *espacio
de apariencias*.

Descúbralos

MARQUÉS	Vuelve a mirar el castigo
	sin venganza.
DUQUE	No es tomarla
	el castigar la justicia.
	Llanto sobra y valor falta; 3015
	pagó la maldad que hizo
	por heredarme.
BATÍN	Aquí acaba,
	senado, aquella tragedia
	del *castigo sin venganza*,
	que, siendo en Italia asombro, 3020
	hoy es ejemplo en España.

3017. *por heredarme*: 'para ser mi heredero'.   **3018.** *senado*: 'público'.   **3020.** *asombro*: 'espanto, confusión'.   **3021.** La obra concluye con una alusión al carácter ejemplar de la historia representada, finalidad que Lope asociaba especialmente a las obras basadas en hechos históricos. Por otro lado, en el manuscrito autógrafo sigue, de mano del propio Lope, la expresión religiosa de acción de gracias *Laus Deo et M[atri] V[irgini]*, la fecha en la que se concluyó la tragedia (1 de agosto de 1631) y la firma y rúbrica del dramaturgo. En el último folio del manuscrito se incluye asimismo la licencia de representación en Madrid otorgada por Pedro de Vargas Machucha el 9 de mayo de 1632.

ÍNDICE DE NOTAS

ÍNDICE

El castigo sin venganza
o la trágica pasión por lo imposible

Alejandro García Reidy

El castigo sin venganza
Tragedia

CLÁSICOS Y MODERNOS

Colección dirigida por
GONZALO PONTÓN GIJÓN

Coordinación de este volumen:
GERMÁN CÁNOVAS

Realización: Àtona, S. L.
Diseño de la cubierta: puntgroc comunicació
Ilustración de la cubierta: Eugènia Anglès, 2004

© 2009 de la edición, la anotación y el prólogo:
Alejandro García Reidy
© 2009 de la presente edición para España y América:
EDITORIAL CRÍTICA, S. L.,
Diagonal, 662-664, 08034 Barcelona
editorial@ed-critica.es
www.ed-critica.es

ISBN: 978-84-7423-986-7
Depósito legal: B. 16.486-2009
Impreso en España
2009 – Book-Print Digital (Barcelona)